Dydd oedd a diwedd iddo

Gwynn ap Gwilym

Argraffiad Cyntaf—2002

ISBN 1 84323 092 5

Dymuna'r cyhoeddwyr gydnabod cymorth
Adrannau Cyngor Llyfrau Cymru.

Argraffwyd gan
Wasg Gomer, Llandysul, Ceredigion, Cymru

Hanes dychmygol bywyd Siôn Trefnant, Esgob Henffordd, 1389-1404.

1

'F'arglwydd esgob, f'arglwydd esgob.'

Y mae llais Ieuan Offeiriad yn torri trwy fy mreuddwydion fel morthwyl trwy rew.

'F'arglwydd esgob.'

Wrth imi agor fy llygaid yn llafurus, rwy'n gweld ei wyneb fel haul haf uwch cwrlid cnu y gwely. Y tu ôl iddo mae'r tân coed yn rhuo ac yn poeri yn y lle tân carreg a'r mwg glas yn diflannu i fyny'r simdde fawr. Trwy'r ffenestr gwarelog ar y chwith y mae eira Mawrth yn glynu'n ystyfnig at doeau Henffordd.

'Mae'n awr bader, f'arglwydd esgob.'

Fe ŵyr Ieuan o'r gorau na fedraf godi heddiw, mwy na ddoe na sawl echdoe, i'w ddilyn i lawr i'r eglwys oer, ac y mae'n deall.

'Gaf i ddweud y paderau drosoch, f'arglwydd esgob?'

Fe'i clywaf yn hanner sibrwd '*Pater noster qui es in caelis, sanctificetur nomen tuum, adveniat regnum tuum . . .*', a'i lais cadarn Cymreig yn f'atgoffa am lais y bardd yn y neuadd gynt yn Nhrefnant:

> Yfwn i aelwyd ger afon Elwy,
> A difa'r hirlwm yn ei difyr arlwy.
> Ar heth yr euthum at gwr ei throthwy,
> A llyn a gefais, a llon y gofwy.
> Rhoist y medd a'r rhost, a mwy – rhoi am gân
> Im aur yn gyfran a mirain gyfrwy.

Byddwn wrth fy modd yn gwrando ar y bardd yn mynd trwy'i bethau. Felly hefyd fy nhad, mi wn, er iddo gwyno wrthyf droeon mai tipyn o gnafon oedd y beirdd. 'Rho bowlaid o botes iddyn nhw, Siôn,' meddai, 'ac mi canmolan di am rostio alarch. A'r peryg ydi mai rhostio alarch a wnei di'r tro nesa, rhag colli dy enw da. Ond mae ganddyn nhw eu crefft, chwarae teg, yn wahanol iawn i'r mynachod felltith yna. Cardotwyr wynebgaled, a dim arall ydi'r rheini.'

'Ydi'r hogyn yma am fod yn fardd, Rhys Trefnant?'

'Siôn?' meddai nhad, 'yn fardd? Does yna ddim rhyw lawer o ddyfodol i chi'r beirdd, hyd y gwela i.'

'Ond mi fydd yna ddyfodol, Rhys Trefnant, tra bydd boneddigion fel chi yn dal i'n noddi ni. Chi sy wedi cadw'r beirdd yn fyw dros y deng mlynedd a thrigain diwethaf yma ers lladd y tywysogion.'

'Dydi'n dyfodol ninnau ddim yn ddiogel ychwaith, a threthi arglwyddi'r Mers mor drymion, a'r gwaharddiad ar y Cymry rhag masnachu ym marchnad Dinbych yn llestair llwyr.'

Yr oedd y sôn am farchnad Dinbych yn ddigon i godi cryd arnaf. Prynhawn o haf crasboeth oedd hi, a'm brawd a minnau, yn hogiau bychain iawn, yn mynd gyda'n tad ar ryw berwyl ar y drol bren heibio i farchnad y Saeson islaw'r castell. Yn sydyn, dyma gynnwrf ar yr heol, a'r bobl yn sgrialu am loches fel y carlamai dau bâr o geffylau duon drwy ganol y farchnad, eu myngau'n ffrochwyllt a'r chwys yn laddar ar eu cefnau. Wrth harnais y ceffyl ar y dde yn yr ail bâr yr oedd dyn wedi'i glymu gerfydd ei arddyrnau â rhaff drom, a honno'n torri'n ddwfn i mewn i'w gnawd wrth iddo gael ei lusgo ar garlam i gyfeiriad y castell. Yr oedd ei ddillad yn gareiau amdano, a'i gorff yn friwiau i gyd, ac yn sboncian a drybowndian dros y cerrig mân ar y ffordd nes bod y llwch yn codi'n gymylau oddeutu iddo. Yr oedd wyneb fy nhad fel y galchen.

'Hywel ap Llywelyn,' meddai'n floesg. 'Heb dalu ei drethi.'

'Heb dalu ei drethi i bwy, nhad?'

'I Syr Rhosier Mortimer, machgen i. Ail Arglwydd y Mers. Mae o newydd gael ei diroedd yn ôl gan y brenin.'

'Ydi Syr Rhosier Mortimer yn ddyn drwg?'

'Mae Syr Rhosier yn ŵr o'r gorau. Ond ŵyr o ddim beth y mae rhai o'i weision yn ei wneud yn ei enw o. Gwae Hywel. Duw'n unig a ŵyr be wnân nhw iddo fo yn y castell yna.'

Am y trethi a'r masnachu y byddai sgwrs fy nhad a'r bardd.

'Does yna ddim oll y gallwn ni ei wneud,' meddai nhad, 'ond ufuddhau. Ewch gyda'r lli – dyna fy nghyngor i bob amser i'r hogiau yma.'

'Iacha'i groen . . .' meddai'r bardd.

'Na, nid felly. Y gwir amdani ydi nad oes neb i'n harwain ni. Mae Llywelyn a Dafydd yn farw ers deng mlynedd a thrigain, ac ŵyr neb beth ddaeth o'u plant.'

'Mae sôn i Wenllian ferch Llywelyn farw yn Lloegr ryw ugain mlynedd yn ôl. Ond mae Owain ap Tomas, y gor-nai, yn aros ei gyfle yn Ffrainc.'

'Mi glywais ddweud. Ond hyd yn oed pe bai o'n llwyddo i adennill y dywysogaeth, fyddai yna ddim byd o'n blaen ni ond blynyddoedd o ryfela i geisio cadarnhau pethau. Fydd dim gobaith, i'm tyb i, nes bydd Cymro unwaith eto yn gwisgo coron Lloegr.'

'A brysied y dydd, Rhys Trefnant.'

'Am yr hogiau yma,' meddai nhad, 'mi gaiff yr hyna fy nilyn i, ac am Siôn – ar yr Eglwys y mae Siôn wedi rhoi ei fryd.'

Dyna'r tro cyntaf imi erioed ddeall fy mod wedi gosod fy mryd ar yr Eglwys. Ond yr Eglwys fu piau hi. A heno, ym mhalas Esgob Henffordd, y mae Lladin gweddïau Ieuan Offeiriad yn golchi'n donnau trosof ar fy ngwely cystudd.

*   *   *

'*Sagum*, clogyn,' gwaeddai'r Brawd Madog yn nrws y siambr. '*Habeo sagum*, mae gen i glogyn.'

Cysgai'r Brawd Madog am y pared â ni'r disgyblion yng nghroglofft bren adeilad deulawr ysgol y gadeirlan yn Llanelwy. Ar y llawr isaf yr oedd cegin ac ystafell ddysgu. Ar yr alwad foreol o'r drws, neidiem ninnau o'n gwelyau, a chythru am ein dillad gan ateb:

'*Sagum*, clogyn. *Habemus sagum*, mae gennym glogyn.'

'*Crepida*, sandal,' gwaeddai'r Brawd Madog, gan gymryd arno glymu sandalau am ei draed noeth. '*Crepidatus sum*, rwy'n gwisgo sandalau.'

Ac er mai troednoeth oeddem ninnau, '*Crepida*,' atebem, gan ddynwared ei symudiadau, '*Crepidati sumus*, rydym yn gwisgo sandalau.'

Dilynem ef i lawr yr ysgol gul i'r gegin, ac allan trwy'r buarth i'r eglwys i wrando ar offeren gyntaf y bore. Yn ôl wedyn i gael ein pryd bwyd boreol –

llaeth enwyn, fel rheol, a thafell o fara, neu weithiau, pan fyddai hi'n oer iawn, fara llefrith cynnes.

'*Mensa*, bwrdd,' gwaeddai Madog; '*scabellum*, mainc; *cibus*, bwyd.'

Ac felly, o dipyn i beth, y daethom i fedru cynnal sgyrsiau syml mewn Lladin. Dysgem ddarllen hefyd, ac ysgrifennu ar groen, ac yn ddiweddarach cyflwynwyd ni i feysydd rhesymeg ac astronomeg a gramadeg.

'Gramadeg,' bloeddiai Madog, 'yw mam y gwyddorau. A diwinyddiaeth yw eu brenhines. Mi gaiff rhai ohonoch chi, diau, y cyfle i astudio diwinyddiaeth. Os cewch chi, ystyriwch hi'n fraint.'

Caem wersi daearyddiaeth hefyd, a Madog yn ei elfen yn sôn am ryfeddodau'r byd.

'Yn y dwyrain pell,' meddai, 'y mae pobl sy'n byw ar bersawr afalau. Y mae eraill yn ymborthi ar gyrff meirw eu rhieni, ac yn defnyddio darnau o gelanedd eu gelynion i addurno'u meirch. Yng ngogledd oer y byd y mae dynion a chanddynt bennau cŵn, a chadwant yn glyd rhag yr oerfel ofnadwy drwy eu lapio'u hunain yn eu clustiau enfawr. Mae gwledydd y de'n cael eu plagio gan anghenfil dychrynllyd a chanddo ben tarw a mwng ceffyl a chyrn hwrdd. Bydd unrhyw un a gais ei hela yn cael ei losgi'n fyw yn ei dom danllyd, a'i ofn ef sy'n cadw'r môr-forynion rhag dod i'r tir. I'r gorllewin, y tu hwnt i Iwerddon, nid oes dim oll. Pe hwyliech ymlaen dros y gorwel oddi yno, fe gwympech yn bendramwnwgl dros ymyl y byd.'

Y pethau difyrraf, fodd bynnag, oedd ei chwedlau – chwedlau o'r Beibl ac o'r gwledydd pell – a'i bosau niferus.

'Yn llynnoedd Cymru,' meddai Madog, 'y mae'r Tylwyth Teg yn byw. Y mae eu merched mor brydferth â breuddwyd ac mor anghyffwrdd â'r niwl. Un dydd fe gyfarfu llanc o Hiraethog ag un ohonynt ar lethr y mynydd, a syrthio mewn cariad â hi, a gofyn iddi ei briodi. "Fe ddof i yn wraig iti," atebodd hithau, "os deui di ataf ymhen tridiau heb fod yn newynog nac wedi dy ddigoni, heb fod yn noeth nac wedi gwisgo amdanat, heb fod yn marchogaeth nac ar draed." Nos yfory, hogiau, mi gewch chi ddweud wrthyf fi sut yr enillodd y llanc hi'n wraig iddo.'

Yr oedd yn dda o beth fod y Brawd Madog, er nad oedd mewn difrif ryw lawer iawn yn hŷn na ni, braidd yn drwm ei glyw, oherwydd bu'r trafod yn yr ystafell wely y noson honno yn frwd a chynhyrfus. Tybiai un ohonom ei fod yn gwybod sut i ddatrys yr ymadrodd 'heb fod yn marchogaeth nac ar droed'.

'Eistedd ar ben gwrych, siŵr iawn,' meddai, 'a'i chyfarch hi oddi yno.'

'Ond nage,' meddai un arall. 'Roedd y ferch yn disgwyl iddo fynd ati, a fedrai o ddim mynd ati ar ben gwrych.'

Nos drannoeth a ddaeth, ac ar ôl swper dyma'r Brawd Madog yn holi:

'Beth amdani, hogiau? Wnaethoch chi ddatrys y pôs?'

'Naddo'r Brawd Madog.'

'Ho ho. Dyna fi wedi'ch dal chi. Ond mae'r ateb yn hollol syml. Ymhen tridiau mi aeth y llanc at y ferch efo tri gronyn barlys yn ei enau, wedi ei wisgo mewn rhwyd bysgota, ac yn eistedd ar gefn bwch gafr fel bod ei draed yn cyffwrdd y ddaear. Ac fe'i henillodd hi'n wraig iddo ar yr amod na wnâi o byth ei galw hi'n Rhian y Llyn, na throi'n ôl i edrych arni wrth ffarwelio â hi.'

Noson Ffair Llanelwy y cawsom ni un o'r chwedlau mwyaf cofiadwy. Yr oedd y Brawd Madog wedi mynd â ni o gwmpas y ffair fin nos, ac wedi'n tywys heibio i droliau aroglus y cigoedd a'r pysgod a'r bara, a'r stondinau ffrwythau a llysiau a gwaith lledr a brodwaith a gwlân, heibio i'r gofaint a'r cryddion a'r seiri, a'r beirdd pen pastwn, a'r croesaniaid â'r clychau yn eu penwisgoedd, a'r talwrn ymladd ceiliogod lle'r oedd torf o ddynion meddw yn gweiddi a rhegi ac yn dyrnu'r awyr yn eu cynnwrf, at gornel o'r heol lle'r oedd gŵr bychan tywyll a chanddo glamp o arth winau a chadwyn drom wedi'i chau am ei ffroenau. Safai'r arth ar ei deudroed ôl, ac ar ei gwar, a than ei dwy goes flaen, yr oedd math o iau haearn a rhaff ynghlwm wrthi. Daliai'r gŵr ben y gadwyn yn ei law dde a phen y rhaff yn ei law chwith, ac wrth iddo gyfarth gorchmynion, a rhoi ambell blwc yn awr ac yn y man i'r gadwyn a'r rhaff, fe ddawnsiai'r arth yn afrosgo, a'i phen yn symud o'r naill ochr i'r llall i gyfeiliant ffliwt a genid gan ryw hogyn bychan gerllaw. Yr oedd tyrfa fawr yn gwylio, mewn rhyw gymysgedd o ryfeddod ac edmygedd ac arswyd. Yr oedd yr arth bron ddwywaith yn dalach a lletach na'i meistr, ac yn ddynol odiaeth ei symudiadau.

Wrth inni gerdded yn ôl am y gadeirlan, dyma ni'n mynd heibio i fagad o enethod ifainc y dref yn eistedd ar wal isel ar ochr arall yr heol. Pan welsant ni, dechreuasant dynnu wynebau a phwnio'i gilydd a gwneud ystumiau pryfoclyd.

'Peidiwch â chymryd dim sylw ohonyn nhw,' gorchmynnodd y Brawd Madog.

'Eu-nu-chiaid, my-na-chod,' llafarganai'r genethod ar ein hôl, yn sefyll erbyn hyn, gan siglo'u cluniau'n hudolus, a'u dwylo am eu canol.

'Gochelwch enethod,' ebe'r Brawd Madog wrthym cyn inni noswylio'r noson honno. 'Cofiwch bob amser mai hwy yw plant Efa, ac mai trwy Efa y daeth pechod i'r byd. Mi welsoch yr arth honno yn mynd drwy'i champau. Flynyddoedd lawer yn ôl, pan oedd eirth yn trigo yng Nghymru, fe ddihangodd merch o'r ardal hon i fyw gydag un ohonyn nhw mewn ogof yn y mynydd. Ymhen amser, fe aned iddi fab – hanner dyn a hanner arth - ac fe'i magwyd yn yr ogof, a byddai'r arth yn gosod carreg enfawr ar geg yr ogof pan âi allan rhag i neb ddod o hyd i'r ferch a'i mab. Erbyn i'r hogyn gyrraedd ei chweblwydd yr oedd yn meddu ar nerth tri gŵr, a llwyddodd i symud y garreg a dianc i'r gwastatir islaw'r mynydd. Daeth arno eisiau bwyd, a daeth at fferm fechan. Fe'i gwelwyd gan y ffermwr yn lladd un o'i fuchod, ac yna'n ei bwyta'n gyfan, heb adael dim ar ôl ond y croen a'r cyrn a'r esgyrn. Cadwodd y ffermwr wyliadwriaeth ar ei fuches, a phan ddychwelodd yr arth-ddyn rai nosweithiau wedyn, fe lwyddodd i'w rwydo, a'i gau mewn ysgubor garreg ar ei dir, gan dybio y gwnâi warchodwr ardderchog i'w eiddo. Un noson, clywodd udo cnud o fleiddiaid yn y caeau. Rhuthrodd i'r ysgubor, a gollwng yr arth-ddyn yn rhydd, gan obeithio y dychrynai'r bleiddiaid. Yn lle hynny, trawodd yr arth-ddyn ef â'i bawen drom, a'i ladd yn y fan. Cipiodd un o'r bleiddiaist yn ei gôl, a dianc gyda hi i'r mynydd. Yno, fe ddywedir, fe aned iddynt epil – hanner blaidd, chwarter arth, chwarter dyn – a chlywais sôn fod yr epil hyn yn crwydro'r mynyddoedd wedi nos yn udo am ysglyfaeth.'

Rhyfedd fy mod yn cofio'r hen chwedlau hyn heno, a hynny ar awr bader hefyd. Ond yr oedd mwy na chwedlau i ysgol Llanelwy. Fel yr aem yn hŷn, disgwylid inni wybod yn drylwyr olygiad Remigius o ramadeg Lladin Donatus – y Dwned, fel y galwem ef, ac erbyn fy mod yn bymtheg oed yr oeddwn eisoes wedi dechrau darllen, o dan gyfarwyddyd y Brawd Madog, gofiant Bonaventura i Ffransis Sant. Yn ddiweddarach buom yn brwydro'n ffordd drwy lythyrau Sierôm a *De Senectute* Cicero.

Un diwrnod, galwodd y Brawd Madog fi ato.

'Siôn,' meddai, 'yr wyt ti'n gwneud yn dda ryfeddol, ac y mae arna i ofn nad oes yna lawer yn fwy y galla i ei ddysgu iti. Mae gen i Ladin, ond does gen i ddim Groeg na Hebraeg, ac fe ddylai un fel chdi gael ei drwytho yn yr ieithoedd hynny. Mi fydd yn rhaid inni gael gair â'r esgob ynglŷn â dy ddyfodol di.'

Gŵr tal, llygatlas, penwyn a llaes ei farf oedd yr Esgob Dafydd. Yr oeddwn wedi ei weld droeon yng ngwasanaethau'r gadeirlan, ond nid oedd erioed wedi torri gair â mi na'm cymrodyr. Wrth imi eistedd gyda'r Brawd Madog ar y fainc bren hirgul yng nghyntedd palas yr esgob, yn disgwyl ein tro i ymddiddan ag ef ac yn gwylio patrymau'r cysgodion ar lechen las y llawr, yr oeddwn mor llawn cynnwrf â phe bawn yn mynd i ymddangos o flaen y brenin ei hun. Aeth tragwyddoldeb heibio cyn i un o'r ysgrifenyddion ddod i ddrws yr ystafell ymhen draw'r cyntedd, a'n gwahodd i mewn.

Roedd hi'n ystafell braf. Roedd ffenestr fawr yn wynebu'r drws y daethom i mewn drwyddo, ac ar y dde llosgai tân croesawus o dan simdde lydan. Mewn cadair drom o dderw o flaen y ffenestr eisteddai'r esgob, a bwrdd derw cadarn o'i flaen yn drymlwythog o femrynau a sgroliau. Ar ddeheulaw'r esgob, ym mhen chwith y bwrdd, yr oedd cadair yr ysgrifennydd. Nid oedd cadeiriau ar ein cyfer ni, ond fe gododd yr esgob i'n cyfarch.

'Croeso, y Brawd Madog,' meddai, 'a Duw fo gyda thi. A phwy yw'r ysgolor ifanc?'

'Siôn, f'arglwydd esgob,' atebodd Madog. 'Siôn Trefnant.'

'Bachgen addawol, y Brawd Madog?'

'Addawol dros ben, f'arglwydd esgob. Gallai fanteisio ar addysg na allwn ni mo'i chynnig yma.'

Troes yr esgob ataf, a dechrau ymddiddan â mi mewn Lladin. Holodd fi am fy rhieni a'm cartref, am fy amser yn yr ysgol a pha mor hoff oeddwn o'r gwersi, am fy ngwybodaeth o chwedlau'r Beibl ac o ramadeg, ac am fy mwriadau i'r dyfodol.

'Wyt ti'n meddwl cymryd urddau mynach, Siôn?'

'Wn i ddim, f'arglwydd esgob.'

'Na. Mae hi'n ddigon buan i benderfynu.'

Cododd lawysgrif drwchus oddi ar y bwrdd, a'i dal o'm blaen.

'Wyddost ti beth ydi hon?'

'Na wn i, f'arglwydd esgob.'

'Dyma i ti, wel'di, gopi o ddarnau o'r Ysgrythur yn Gymraeg – *Y Bibyl ynghymraec* – a dim ond gennym ni yma yn Llanelwy, hyd y gwn i, y mae'r fath beth. Wyt ti'n meddwl ei fod o'n beth da cyfieithu'r Beibl i Gymraeg, Siôn?'

'Ydw, f'arglwydd esgob.'

'Pam felly?'

'Er mwyn i bobl ei ddeall o, f'arglwydd esgob.'

Chwarddodd yr esgob. Ymhen ysbaid dyma fo'n troi at y Brawd Madog ac yn dweud:

'Rydw i'n cytuno, y Brawd Madog. Mae deunydd da yn y bachgen. Fe allai'n sicr, i'm tyb i, elwa ar addysg un o'r prifysgolion. Rhydychen ydi'r agosaf atom. Mi fydd yn rhaid cael nawdd iddo, wrth gwrs. Mi gaf i weld beth alla i ei wneud.'

Rhyw fis yn ddiweddarach fe'n galwyd ni eto i ŵydd yr esgob. Yr oedd gwên garedig ar ei wyneb wrth iddo esbonio i'r Brawd Madog:

'Mi lwyddais i gael nawdd i Siôn. Fe gaiff ddechrau yn Rhydychen yn yr hydref. Yn fwy na hynny, y Brawd Madog, mi lwyddais i gael digon o nawdd i sicrhau gwasanaeth gwas iddo. A chan dy fod di ers blynyddoedd yn dyheu am gael astudio diwinyddiaeth, mi gei di fynd efo fo. Ifanc ydi o, ac mi fydd angen rhywun i edrych ar ei ôl. Mi gaiff un o'r disgyblion hynaf gymryd dy le di yn yr ysgol.'

'Ga i ofyn,' holodd y Brawd Madog, 'o ble y cawsoch chi'r nawdd, f'arglwydd esgob?'

'Oddi wrth Syr Edmwnd Mortimer,' atebodd yr esgob. 'Mae o'n bwriadu noddi bechgyn addawol o dro i dro.'

Wrth glywed enw Syr Edmwnd Mortimer mi deimlwn fy ngwaed yn dechrau berwi. Onid gweision ei dad ef a wnaeth beth bynnag a wnaethant i un o ffrindiau nhad yng nghastell Dinbych gynt? Sut y medrwn i dderbyn nawdd gan

Syr Edmwnd Mortimer o bawb? Ond mi glywn lais fy nhad hefyd: 'Mae Syr Rhosier yn ŵr o'r gorau,' a'i gyngor cyson: 'Dos efo'r lli, Siôn bach.'

Ddechrau'r hydref hwnnw yr oedd y Brawd Madog a minnau yn cychwyn ar y siwrnai faith i Rydychen. Yr oeddwn yn ddwy ar bymtheg oed.

II

'Mi fydd angen ichi gyffesu, fel y gwyddoch chi, f'arglwydd esgob.'

'Gwely cystudd ydi hwn, Ieuan, nid gwely angau.'

Gall fod yn wely angau hefyd, mi wn, ond dydw i ddim yn barod i gyffesu eto. O ran hynny, beth sydd gen i i'w gyffesu? Fe wneuthum fy nghyffes fawr i Archesgob Caergaint saith mlynedd ar hugain fwy neu lai yn ôl.

Llafur caled a blin fu'r flwyddyn gyntaf yn Rhydychen i'r Brawd Madog a minnau. Cefais gyngor i astudio Groeg, a dilynem ein dau y gwersi niferus a oedd ar gael yn yr iaith honno. Amdanaf fy hun, yr oedd y dysgu'n rhwydd, ond yr oedd Madog yn ymlafnio, ac yn ymdrechu hefyd i ddygymod â'r ffaith nad athro imi ydoedd mwyach, ond gwas. Byddwn innau weithiau, gyda chellwair creulon gŵr ifanc, yn tynnu arno. Un noswaith yr oedd yn ochneidio uwchben rhyw dasg neu'i gilydd.

'Beth sy'n bod, Madog?'

'Y rhangymeriadau Groeg yma, Siôn.'

'Beth amdanyn nhw?'

'Maen nhw'n edrych i gyd yr un fath i mi.'

'Rydych chithau'r Brodyr Gwynion yn edrych i gyd yr un fath i mi,' meddwn innau, 'ond mae'n siŵr fod yna ryw wahaniaeth rhyngoch chi.'

Peth hawdd, ar ôl ein mwydo'n ddiarbed am ddau dymor mewn Groeg clasurol, oedd troi yn y trydydd tymor at Roeg cyffredin y Testament Newydd. Copïem ddarnau o'r efengylau ar femrwn, mewn colofn lydan ar y dde, ac yna, mewn colofn gul ar y chwith, cofnodem ein sylwadau ar y testun. Lladin oedd iaith y sylwadau, ond pan fyddai'r gair Lladin am rywbeth neu'i gilydd yn mynd yn angof, rhoddem y gair Cymraeg, yn y gobaith y deuai'r gair Lladin i gof pan fyddem yn trafod y darn ar goedd gyda'r meistr. Yr un oedd y drefn gyda gwersi Hebraeg y flwyddyn ddilynol: testun, sylwadau, trafodaeth, a chawsom ar ddeall mai'r athro gorau am drafodaethau ar destun Hebraeg oedd y Meistr Giraldus yn Nhŷ'r Dominiciaid.

Brawd Du bywiog, lled ifanc, oedd Giraldus, gyda thas o wallt du modrwyog o gwmpas ei gorun moel, a llygaid tywyll yn llawn chwerthin, a rhyw egni heintus yn dygyfor ohono. Ei ddull o addysgu oedd gofyn i bob myfyriwr yn ei dro ddarllen yn uchel ddarn o'r testun Hebraeg, ac yna'i gyfieithu a'i esbonio. Byddai yntau wedyn yn gwneud sylwadau ar yr ymdrech. Yr oedd y fath dorf yn canlyn ei ddarlithoedd, yn Frodyr Gwynion, fel Madog, yn Frodyr Duon a Brodyr Llwydion, ac yn rhai, fel mi, nad oeddynt mewn urddau o gwbl, fel ei bod hi'n ddechrau'r ail dymor cyn y gofynnwyd i mi ddweud dim. Trafod yr ail Salm yr oeddem, ac i mi y disgynnodd y dasg o esbonio'r adnod olaf.

'*Nashkû bhar pen yenaph*,' darllenais, ac yna, yn fy Lladin gorau, 'Cusenwch y mab rhag cythruddo ohono. Y mab yw Crist. Y mae'r gorchymyn i'w gusanu yn dangos yr wrogaeth y dylid ei thalu iddo gan yr holl genhedloedd. Y mae'r Mab yn Dduw, ac yn adlewyrchu dicllonedd Duw yn erbyn ei elynion.'

Yn sydyn, fe welwn y meistr yn gwenu fel lleuad lawn, ac fe'i clywn yn fy nghyfarch o ben draw'r ystafell:

'*Vere et tu ex illis es: nam et loquela tua manifestum te facit*.'

Ac yna mewn Cymraeg cyhyrog:

'Yn wir, yr wyt tithau yn un ohonynt, canys y mae dy leferydd yn dy fradychu. Beth yw dy enw di, ŵr ifanc?'

'Siôn Trefnant, Meistr.'

'O'r gorau, Siôn Trefnant. Aros di ar ôl ar derfyn y wers yma imi gael sgwrs efo chdi.'

Fe lyncodd y Brawd Madog ful ar unwaith.

'Roddodd o ddim gwahoddiad i mi,' sibrydodd yn chwerw.

'Mae'n debyg na wyddai o ddim dy fod di'n Gymro, Madog.'

'Twt lol, mae o wedi 'ngweld i wrth dy ochr di ers wythnosau. Rhy falch i wahodd y gwas ydi o.'

Ar fy mhen fy hun, felly, y cyfarfûm â'r Meistr Giraldus ar derfyn y wers. Ac o'r munud hwnnw fe ddaeth dinas Rhydychen, a fuasai hyd hynny yn lle diflas a llwm, yn fyw imi.

'Ymhle rwyt ti'n byw, Siôn Trefnant?'

'Mae yna nifer ohonom ni'n lletya mewn tŷ preswyl nid nepell o'r coleg newydd.'

'Coleg Balliol?'

'Ie, Meistr Giraldus.'

'Anghofia'r Meistr Giraldus. Y Brawd Gerallt yw'r enw. Brawd o anfodd, ond Cymro o wirfodd – o Ddyffryn Conwy. Wyt ti'n gyffyrddus yn y llety?'

'Mae yno ystafell wely i ryw bymtheg ohonom, a bwyd yn ei bryd.'

'Oes yno Gymry?'

'Dim ond y Brawd Madog a minnau. Mae'r Brawd Madog yn gofalu amdanaf.'

'Sut mae'r Saeson yn eich trin chi?'

'Yn ddi-fai, y Brawd Gerallt, ond dydym ni ddim yn canu'r utgorn Cymreig o'n blaenau, a Lladin ydi'r iaith gyffredin.'

'Beth wyt ti'n gobeithio'i wneud yn Rhydychen yma?'

'Rydw i'n gobeithio dilyn yr ysgolion diwinyddiaeth, ond hyd yma rydw i wedi bod yn canolbwyntio ar ddysgu Groeg a Hebraeg.'

'Mae hynny'n sylfaen iawn, ond nid diwinyddiaeth mohono. Pethau meirw yw hen ieithoedd. Mae diwinyddiaeth yn anadlu bywyd. Wyt ti wedi clywed Wycliffe?'

'Wycliffe?'

'Periglor Lutterworth. Meistr Coleg Balliol. Dyna iti ddiwinydd. Mae athrawon Rhydychen yma yn dotio arno, ond mae o'n prysur dynnu'r Pab yn ei ben.'

'Mawredd mawr. Y Pab? Pam felly?'

'Y peth gorau i ti fyddai dod i wrando arno. Dwyt ti ddim yn bwriadu cymryd urddau mynach, wyt ti?'

'Dydw i ddim yn meddwl, Meistr Gerallt.'

'Clerig ynteu?'

'Mae hynny'n apelio'n fwy.'

'Hm. Os wyt ti'n bwriadu bod yn glerig, mi fuaswn i, taswn i'n chdi, yn ceisio dilyn rhai o'r darlithoedd yn y gyfraith eglwysig yn nes ymlaen. Yn y maes hwnnw y mae'r gyrfaoedd. Ond diwinyddiaeth i ddechrau. A Wycliffe ydi'r diwinydd mwyaf cynhyrfus yn y lle yma ar hyn o bryd. Ond ei fod o â'i gyllell ynom ni'r mynachod – ac yn haeddiannol hefyd.'

'Sut hynny, Meistr Gerallt?'

'O, mi gei di weld, mi gei di weld.'

Yn ôl yn y llety, yr oedd y Brawd Madog mewn hwyliau drwg.

'Wycliffe,' meddai'n ddirmygus. 'Dyn peryglus.'

'A beth wyddost ti amdano fo, Madog?'

'Gwranda, Siôn. Mae Wycliffe am waed y mynachod. Ychydig flynyddoedd yn ôl fe benododd yr hen Archesgob Islip o'n bennaeth Neuadd newydd Caergaint yn y brifysgol yma, ac mi llanwodd yntau hi efo clerigwyr seciwlar. Ddwy flynedd wedyn, mi gafodd yr Archesgob Langham wared ar Wycliffe a'i glerigwyr seciwlar, a phenodi mynach yn bennaeth y neuadd a sefydlu cymuned o fynachod yno. Mi bwdodd Wycliffe, ac mae o wedi bod yn ceisio tanseilio'r fynachaeth byth ers hynny.'

'Ond mae'r Brawd Gerallt yn meddwl y byd ohono.'

'Mae'r rhan fwyaf o athrawon y brifysgol yma yn meddwl y byd ohono. Ac mae'r rheswm am hynny yn amlwg. Saeson ydi'r tacle at ei gilydd, a dydyn nhw ddim yn hoff o'r syniad fod brenin Lloegr o dan awdurdod y Pab. Mae unrhyw un dynnith flewyn o drwyn y Pab yn arwr.'

'Ond Cymro ydi Meistr Gerallt.'

‘Mae dyn yn anghofio’n fuan iawn, Siôn, mai Cymro ydi o mewn lle fel hyn.’

Fe wrthododd Madog yn bendant ddod gyda mi ymhen rhai dyddiau i glywed Wycliffe yn darlithio. Yr oeddwn innau’n bur betrus wrth imi ymlwybro ymhlith y tyrfaoedd drwy fuarth eang Coleg Balliol i’r neuadd dywyll, isel ei nenfwd, lle’r eisteddai rhai ugeiniau o wŷr ifainc ar feinciau pren yn disgwyl am y gŵr mawr. Aeth ias o gyffro drwy’r lle pan gododd dyn canol oed cynnar o blith doethuriaid y brifysgol yn y rhes flaen. Dyma Wycliffe. Dechreuodd lefaru mewn llais isel, mwyn, a oedd, serch hynny, i’w glywed yn glir hyd yn oed o’r meinciau cefn lle’r eisteddwn i.

‘Foneddigion, fy mwriad yng nghyflawnder yr amser ydi cyhoeddi’r sylwadau y byddaf yn eu gwneud yn ystod y darlithoedd hyn. Fy ngobaith yw y bydd eu traddodi yma, a’r drafodaeth gyda chwi yn dilyn, yn fy nghynorthwyo i osod trefn ar fy meddyliau.

Fel y gŵyr rhai ohonoch, yr ydw i eisoes wedi amlinellu fy marn am natur eiddo. Duw yw creawdwr pob peth. Gan hynny, ef yw perchennog pob peth, a chanddo ef y mae’r grym dros bob peth. Y mae Duw yn gyfiawn. Gan mai’r Duw cyfiawn yw perchennog popeth, a’r un sydd â grym dros bopeth, y mae’n dilyn mai’r hyn a rydd hawl i eiddo a grym yw cyfiawnder.’

Crwydrodd fy meddwl yn syth at fy mhlentyndod yn Nhrefnant. Un o arglwyddiaethau’r Mers oedd ein hardal ni, arglwyddiaeth Dinbych. Syr Rhosier Mortimer oedd ei pherchennog, a chanddo ef yr oedd y grym drosti. Gwyddem fod Syr Rhosier yn ei dal yn rhodd oddi wrth y brenin. Y brenin oedd piau hi – a ni, y rhai a breswyliai ynddi, yn y pen draw. Ni feddyliodd neb ohonom erioed mai ei dal yn rhodd oddi wrth Dduw yr oedd y brenin yntau. Stiward oedd ef hefyd, yn ôl dadl Wycliffe, nid arglwydd. Yr oedd Syr Rhosier ei hun, yn ôl pob sôn, yn ddyn eithaf daionus. Serch hynny, caniatâi i bob math o greulonderau ddigwydd yn ei enw, ac yr oedd y creulonderau hynny, wrth gwrs, yn gwbl anghyfiawn. Os cyfiawnder a roddai hawl i eiddo a grym, yr oedd Syr Rhosier yn gwbl anghymwys.

'Fe'm clywsoch i hefyd yn dadlau nad oes neb cwbl gyfiawn ymhlith plant dynion. Y mae hon, wrth gwrs, yn hen ddadl. Dyma ddadl yr Eglwys ers cyn cof. Ond os anghyfiawn yw dynolryw, ac os cyfiawnder sy'n rhoi hawl i eiddo, y mae'n dilyn, onid yw, nad oes gan neb o blith dynolryw hawl i eiddo o gwbl? Y mae i'r anghyfiawn hawlio'r hyn a berthyn i gyfiawnder yn bechod. Pechod, felly, yw eiddo. Nid oedd eiddo gan Grist. Nid oedd eiddo gan y disgyblion. Y mae'r ffaith fod yr Eglwys, corff Crist, yn dal eiddo yn bechod. Dynion anghyfiawn fel ni yw'r Eglwys, heb unrhyw deitl, oherwydd ein hanghyfiawnder, i eiddo o gwbl. Ni ddylai fod gan yr Eglwys unrhyw ofal am bethau bydol fel hyn. Mae'r mynachlogydd, sy'n chwilio mor gyson am ddulliau i'w cyfoethogi eu hunain yn faterol, yn tramgwyddo yn erbyn cyfraith Duw.'

Cofiais am ragfarn fy nhad yn erbyn y mynachod a ddeuai o gwmpas ar dro yn cardota ac yn gwerthu maddeuebau er budd eu mynachlog, yn hawlio bwyd a diod, ac yn cellwair yn fras gyda'r merched. Tuag amser cynhaeaf deuent i hawlio degwm o'r gwair a'r ŷd. Yr oedd gan fy nhad ryw hen rigwm a adroddai bob amser wrth weld cae o ŷd:

> Dacw gae o wenith braf
> A dyf drwy'r haf yn raddol,
> A'r ddegfed rhan yn mynd i'r clas
> I borthi gwas y diafol.

'Gwas y diafol' oedd abad y fynachlog i nhad, am ei fod ef a'i dyaid yn byw yn fras ar gefn y werin. A dyma John Wycliffe, y diwinydd mawr yn Rhydychen, yn awr yn hawlio'r un peth. Ac eto, beth am fynachod fel y Brawd Madog a'r Brawd Gerallt? Doedd Madog, beth bynnag am Gerallt, erioed wedi byw yn fras ar gefn neb.

Yr oeddwn ar dân i ddweud hanes y ddarlith wrth Madog, ond pan ddychwelais i'r llety nid oedd sôn amdano. Fe ymddangosodd yn hwyr y nos yn llawn a llawen o ddiod.

'Ble buost ti, Madog?'

'Yn nhafarn yr Ysgub, Siôn. Os wyt ti'n mynd i ganlyn heresi, mi af innau i ganlyn pleser.'

* * *

Llithrodd y blynyddoedd heibio, a derbyniais innau radd Baglor yn y Celfyddydau. Pan ddarfu nawdd Syr Edmwnd Mortimer, dechreuais ddysgu ychydig o Roeg a Hebraeg yn yr ysgolion am dâl bychan – digon i gadw Madog a minnau. Yr oeddwn yn dal i edmygu Wycliffe, ac yn dilyn ei ddarlithoedd yn frwd, a'r rheini'n cynyddu beunydd yn eu beiddgarwch.

'Cabledd ffôl,' meddai Wycliffe, 'yw athrawiaeth traws-sylweddiad. Nid yw'r bara a'r gwin yn troi megis trwy hud a lledrith i fod yn gorff a gwaed Crist. Y mae honni hynny yn amhosibl o safbwynt athroniaeth, gan ei fod yn honni y gall rhywbeth ddod i fod ar wahân i'w sylwedd. Y mae hefyd yn tanseilio natur sagrafen. Arwydd yw sagrafen. Arwydd allanol a gweledol o ras Duw o'n mewn. Arwyddion, felly, yw'r bara a'r gwin. Y maent yn gorff a gwaed Crist, nid am fod y bara yn troi i fod yn gnawd gwirioneddol, na'r gwin yn waed gwirioneddol, ond am fod Crist yn dweud mai ei gorff a'i waed ef ydynt. Wrth gymuno, nid ydym, felly, yn cyffwrdd yn gorfforol â'r Arglwydd. Y mae ef yn bresennol, nid yn gorfforol, ond yn sagrafennaidd ac ysbrydol, fel y mae'r enaid yn bresennol yn y corff.'

'Wyt ti'n derbyn hynny, Siôn?' gofynnodd y Brawd Gerallt imi wrth inni gydgerdded am adref ar ôl y ddarlith.

'Mae'n gwbl synhwyrol i mi,' atebais innau.

'Minnau hefyd. Ond mae'n fentrus. Dydw i ddim yn siŵr am ba hyd y caiff Wycliffe lonydd i draethu pethau fel hyn. Sy'n gwneud imi feddwl, Siôn: wyt ti wedi penderfynu cymryd dy ordeinio?'

'Rydw i'n meddwl fy mod i.'

'Yn meddwl dy fod di?'

'Yn gwybod fy mod i, Gerallt. Cael fy ordeinio'n glerig seciwlar.'

'Os felly, mi ddywedwn i fod yna beth brys. Mae Wycliffe yn hedfan yn agos iawn i'r gwynt. Rwyt tithau'n un o'i ddilynwyr o. Os cwympith Wycliffe, fydd yna ddim gobaith i'r un o'i ddisgyblion o gael ei ordeinio byth, ond mae'n amhosibl iddyn nhw ddadordeinio neb. Mae gan yr Eglwys yn Lloegr yma gryn gydymdeimlad â Wycliffe ar hyn o bryd, ond mi allai droi fel potel mewn dŵr, dim ond i'r Pab ddechrau rhoi pwysau arni. Dos i ymorol am ordinasiwn, Siôn, cyn gynted ag y gelli di.'

Yr oedd y llwybr o'm blaen bellach yn dechrau dod yn glir: derbyn ordinasiwn, ond yn hytrach na chymryd plwyf, parhau i ddysgu yn yr ysgolion er mwyn medru dilyn ar yr un pryd hyfforddiant yng nghyfraith yr Eglwys, gyda golwg, maes o law, ar gael swydd yn un o weision y Babaeth. Pan ddatgelais fy mwriadau i'r Brawd Madog, fodd bynnag, fe'i tramgwyddais yn fawr.

'Dyma ti,' meddai'n chwerw, 'yn rhyw bwt o Faglor yn y Celfyddydau, yn dysgu yn y brifysgol yma, a rhyw gynlluniau aruchel ar gyfer y dyfodol. Wn i ddim yn y byd mawr be ydw i da iti.'

'Beth arall oeddit ti'n ei ddisgwyl, Madog?'

'Wn i ddim, neno'r cymorth gras. Disgwyl iti fynd yn ôl i Gymru i wneud rhywfaint o les i dy bobol dy hun, am wn i. Ond dydw i'n gweld dim pwrpas i mi lygindian o dy gwmpas di fel rhyw iâr un-cyw. A sut bynnag, pa hawl sy gen ti i sôn am fynd yn un o weision y Pab, a thithau wedi gwirioni dy ben ar un o'i elynion pennaf o?'

'Dydi Wycliffe ddim yn elyn i'r Pab, Madog. Gwrthwynebu camweddau'r Pab y mae o – ei ariangarwch a'i rym bydol.'

'Dyna'r union bethau,' ebe Madog, 'y mae ei weision o'n eu gweinyddu.'

Un bore o haf yn fuan wedyn, euthum i wrando eto ar un o ddarlithoedd Wycliffe. Yn honno fe ddatganodd ei fod wedi dechrau cyfieithu'r Ysgrythurau i'r Saesneg.

'Gair Duw yw'r Ysgrythur,' meddai, 'a chan hynny y mae'n anffaeledig. Y mae Duw, trwy ei air, yn llefaru wrth bob unigolyn. Yn Lloegr, fodd bynnag, ychydig yw'r unigolion sy'n medru deall gair Duw, am fod gair Duw yn cael ei ddarllen iddynt mewn iaith na wyddant mohoni. Fe'i darllenir mewn Lladin, a bydd yr offeiriad wedyn yn ei bregeth yn egluro'r testun. Ond geiriau'r offeiriad, nid gair Duw, yw'r bregeth. Y mae geiriau ffaeledig yr offeiriad, felly, yn dirymu anffaeledigrwydd gair Duw.'

Aeth fy meddwl yn ôl at y llawysgrif a ddangosodd yr Esgob Dafydd imi yn Llanelwy gynt, *Y Bibyl ynghymraec*. Darnau yn unig o'r Ysgrythur oedd yn honno, wrth gwrs, ond câi'r darnau hynny eu darllen ar dro yn y foreol a'r hwyrol weddi. Os oedd yr Ysgrythur i gael ei chyfieithu i'r Saesneg, pam nad i'r Gymraeg hefyd? Tybed, tybed, a ddeuai'r dydd pan gâi'r Cymry hwythau y Beibl yn eu hiaith?

Y bore hwnnw, mi gofiaf yn iawn, y diflannodd y Brawd Madog. Bu ar goll am ddeuddydd, a minnau heb y syniad lleiaf ymhle i fynd i chwilio amdano. Trewais i mewn i rai o dafarnau'r ddinas, ond nid oedd olwg ohono yn unman. Y drydedd noson, fodd bynnag, mi glywais fod rhywun tebyg iddo yn codi cythrwfl yn nhafarn yr Ysgub.

Cegin fechan, bitw, oedd i'r Ysgub, heb le ond i ryw hanner dwsin eistedd ynddi. Y tu allan iddi yr oedd gardd sylweddol, lle cyneuid coelcerth o dân yn y gaeaf, ac i'r ardd honno yr ymneilltuai'r cwsmeriaid i yfed a sgwrsio a chanu. Y noson braf honno yr oedd yr ardd yn orlawn, o lafnau ifainc y brifysgol, gan fwyaf, ac wrth imi gerdded i mewn mi sylwais eu bod un ac oll yn syllu'n eiddgar a chynhyrfus i gyfeiriad y wal derfyn. Wedi imi ymwthio i'r dorf, mi welwn fod yno dair putain yn ymladd â'i gilydd – dwy ohonynt yn bur feddw, a'r drydedd ryw fymryn yn sobrach. Yr oedd penelin un o'r meddwon yn gafael am yr un sobrach gerfydd ei gwddf. Nesaodd y feddw arall gyda llestr diod yn ei llaw, a chodi gwisg y sobr yn uchel dros ei chluniau, cyn lluchio cynnwys y llestr dros ei choesau noeth.

'Cymer hwnna'r ast. Mi ddysgith di i ddwyn ein cwsmeriaid ni.'

Yr oedd hogiau'r brifysgol yn bonllefain yn groch, gan annog y tair i barhau'r difyrrwch. Ond yn sydyn, dyma ddyn yn ymlwybro'n simsan o gyfeiriad y gegin, ei wyneb yn welw a'i lygaid yn gochion, a golwg anniben ar ei wallt a'i ddillad. Madog.

'Epil Efa. Saesonesau diawl,' gwaeddai, gan anelu ergydion â'i ddyrnau i'r awyr o'u deutu.

Roedd yr hogiau'n anesmwytho.

'Cer i chwilio am gardod, y mynach uffar.'

'Taflwch o allan, hogia.'

Anghofiodd y tair putain eu cweryl, a throi eu golygon milain at Madog druan.

'Amdano fo, genod,' bloeddiodd y dorf.

Dyna'r pryd y rhuthrais i i'r fan. Gafaelais ym Madog, a cheisio'n daer ei berswadio i ddod gyda mi.

'Dim nes bydda i wedi dysgu gwers i'r Saeson felltith yma.'

Roedd y sefyllfa'n un hyll. Drwy gil fy llygad mi welwn rai o'r hogiau mwyaf haerllug yn y dorf yn nesáu'n fygythiol atom. Ond mi welwn hefyd ŵr ifanc, tal, ffroenuchel yr olwg arno, mewn dillad drudfawr, yn tynnu'i gleddyf o'r wain, ac yn ei ddefnyddio i rannu'r dyrfa'n ddwy wrth iddo lamu at ein hochr.

'Trafferth?' gofynnodd yn Gymraeg. 'Rho dy fraich am ei fraich dde fo. Mi a' innau am y chwith.'

Ac felly, gyda'r gŵr ifanc dieithr yn chwifio'i gleddyf o'i flaen, y cawsom y Brawd Madog wysg ei gefn o'r dafarn.

'Diolch o galon,' ebe fi, wedi inni gyrraedd diogelwch yr heol. 'Be ydi dy enw di, os ca i fod mor hy â gofyn?'

'Siôn Trefor,' ebe'r dieithryn, 'o Langollen.'

Y bore trannoeth yr oedd Madog yn wylofus edifeiriol.

'Dydw i'n aros dim mwy yn y ddinas yma, Siôn,' meddai. 'Y gwir amdani yw nad ydw i'n hoffi dim arni – erioed wedi gwneud. Dydw i ddim yn dod ymlaen efo'r Saeson. Dydw i ddim wedi llwyddo yn fy astudiaethau. Mae nawdd Syr Edmwnd wedi dod i ben, ac rydw i'n teimlo fy mod i'n faich ar d'ysgwyddau di. Rwyt tithau wedi ymbellhau rywsut, efo'r holl syniadau gwirion yma nad ydw i'n cytuno dim â nhw. Y peth gorau i mi fyddai mynd yn f'ôl i Lanelwy, a chwilio am fy hen swydd. Roi di eirda imi, Siôn . . . i'r esgob? A wnei di addo peidio â sôn wrth neb am beth ddigwyddodd neithiwr?'

Cyn diwedd yr haf hwnnw yr oedd Madog wedi troi am adref. Yr oeddwn innau wedi cael f'ordeinio

– yn ddiacon ac yn offeiriad ar yr un dydd – gan yr Esgob Simon Sudbury, pan oedd hwnnw ar ymweliad â Rhydychen. Esgob Llundain oedd Sudbury ar y pryd, ond yn fuan wedyn fe'i dyrchafwyd yn Archesgob Caergaint.

III

'Mae yna neges oddi wrth Esgob Llanelwy, f'arglwydd, yn eich atgoffa ei fod o'n dal i ddisgwyl am ateb i'w lythyr.'

Siôn Trefor, ai e, yn dal i ddisgwyl? A dal i ddisgwyl gaiff o am ysbaid eto, am fy mod innau'n disgwyl – yn disgwyl i weld pwy fydd yn ennill cyn dweud dim. Llwyaid o'i foddion ei hun i'r hen Siôn. Wedi'r cyfan, fo ddysgodd imi driciau fel hyn.

Yn dilyn yr achlysur yn nhafarn yr Ysgub, deuthum i adnabod Siôn Trefor yn bur dda. Yr oedd ef, fel minnau, yn canlyn y darlithoedd yng nghyfraith yr Eglwys, a daethom yn gyfeillion. Yn rhyw fath o gyfeillion, o leiaf, oherwydd wnes i erioed gymryd at Siôn Trefor. Dyn â'i lygad ar ei gyfle oedd o, i'm tyb i – diegwyddor a ffroenuchel.

'Pwy sy'n dy noddi di, Siôn Trefor?' gofynnais iddo un tro.

'Neb, pam? Mae gan fy nheulu i ddigon o fodd. Pwy sy'n dy noddi di?'

'Neb rŵan: rydw i'n ennill digon yn dysgu. Ond Syr Edmwnd Mortimer roddodd gychwyn imi.'

'Syr Edmwnd Mortimer? Defnyddiol.'

'Defnyddiol?' holais. 'Ym mha ffordd?'

'Mae Syr Edmwnd wedi priodi Philippa, merch Dug Clarens, Siôn – wyres i'r brenin Edward. Mae ganddyn nhw ddau fab bychan, Rhosier ac Edmwnd, a allai roi sialens am y goron ryw ddydd. Ac mae rhyw gymaint o waed Cymreig yn y ddau. Mae'r Mortimeriaid yn ddisgynyddion i Lywelyn Fawr drwy Wladus Ddu. Pe bai Rhosier Mortimer yn esgyn i'r orsedd, Siôn . . .'

'Cymro yn gwisgo coron Lloegr!'

'Cymro o fath. Ond defnyddiol iawn i chdi, sydd â rhyw gysylltiad – tenau ag ydyw – â'r teulu.'

Dro arall, fe ddywedodd wrthyf:

'Dy ddrwg di, Siôn, ydi dy fod ti'n rhy ddelfrydol. Rhyw chwarae ydi bywyd i gyd i mi, ac mae'n rhaid imi gael gweld pwy sy'n debygol o ennill y chwarae cyn f'ymrwymo fy hun i neb. Cymer di Owain ap Tomas, er enghraifft – Owain Lawgoch. Fe fu sôn ei fod o'n mynd i godi byddin yn Ffrainc a hwylio i Gymru i hawlio tywysogaeth ei deidiau iddo'i hun. Yn fy nghalon roeddwn i'n dymuno'n dda iddo, ond ddywedais i mo hynny wrth neb. Pe bai o wedi diogelu ei sefyllfa, neu o leiaf wedi ymddangos fel pe bai o'n mynd i gael ei gydnabod yn dywysog, wedyn mi fuaswn wedi'i gefnogi o ar goedd. Ond pan ddaeth y newyddion y llynedd fod ei gynlluniau wedi mynd i'r gwellt, dychmyga mor falch yr oeddwn i fy mod i wedi dal fy nhafod.

Cymer Wycliffe wedyn. Yr wyt ti'n un o'i ddilynwyr o. Dydw i ddim. Nid am fy mod i o angenrheidrwydd yn anghydweld â fo, ond am fy mod i'n disgwyl i weld beth fydd pen draw'r holl beth. Ydi'r Pab yn mynd i ganiatáu pedlera'r holl syniadau newydd yma? Yn fy marn i, nac ydi. Mae Wycliffe yn dymuno dad-wneud y Babaeth, tanseilio'r esgobion a dileu'r mynachlogydd, ac yn annog taeogion i wrthryfela.'

'Ond mae o'n iawn, Siôn Trefor.'

'Nid a ydi o'n iawn ydi'r cwestiwn. Y cwestiwn ydi beth fydd ymateb yr awdurdodau iddo? Fy marn i ydi y byddan nhw'n disgyn arno fo un o'r dyddiau yma, fel bleiddiaid ar oen. Pan ddigwyddith hynny, mi fydd Siôn Trefor ar yr ochr iawn. Ond ble bydd Siôn Trefnant?'

'Ar yr ochr iawn, chwedl tithau, Siôn Trefor. Ar ochr yr hyn sydd iawn, yr hyn sydd gyfiawn.'

'Nid yr hyn sy'n gyfiawn, Siôn, ydi'r hyn sy'n iawn bob amser i'r unigolyn. Yr hyn sy'n iawn i'r unigolyn ydi'r hyn sy'n mynd i hybu ei fywyd a'i yrfa fo. Does dim byd yn iawn sy'n mynd i arwain dyn i'r stanc. A sut bynnag, beth ydi cyfiawnder? Cymer di ddadleuon Wycliffe. Dydw i ddim yn dweud ei fod o'n anghywir, ond mi allwn i ddadlau yn ei erbyn o hefyd. Ar fater hawl yr Eglwys i ddal eiddo, mi allwn i ddweud fod eiddo yn angenrheidiol i hybu ei chenhadaeth i'r byd. Ar fater traws-sylweddiad, mi allwn i ddweud fod yr hyn sy'n Wirionedd Cyffredinol, sef Crist, yn dod yn sylwedd real yn yr hyn sy'n wirionedd arbennig, sef y bara a'r gwin. Ac ar fater anffaeledigrwydd yr Ysgrythur, mi allwn i ddweud nad ydi'r Ysgrythur ddim yn anffaeledig o gwbl, am mai dynion, yr un mor ffaeledig â'r clerigwyr sy'n ei hesbonio, a'i hysgrifennodd hi. Dydw i ddim am un munud yn honni mai dyna'r gwir, ond mi allwn i ddweud hynny. Ac mi fyddwn i'n dweud hynny hefyd, pe bai raid.'

'Soffistri ydi peth fel yna, Siôn.'

'Ond soffistri neu beidio, dyna sy'n ymarferol. Ystyria, Siôn. Yr wyt ti a mi yn Gymry, ac os wyt ti'r un farn â mi, rwyt ti'n dyheu am weld symud iau'r Saeson o'n gwlad. Wnaethoch chi yn Ninbych yna godi yn eu herbyn nhw?'

'Naddo, Siôn Trefor.'

'Pam?'

'Am y caem ni'n crogi, neu waeth.'

'Ydi rhyddid i'r Cymry yn beth cyfiawn?'

'Wrth reswm ei fod o, ond . . .'

'Ond cyfiawn neu beidio, yr hyn oedd yn iawn i chi oedd dygymod efo caethiwed. Mi all syniadau Wycliffe fod yn gyfiawn. Ond yr hyn sy'n iawn i ni ydi dygymod efo beth ddywed yr awdurdodau.'

Yr oeddwn erbyn hyn, yn sgil dysgu yn y brifysgol am rai blynyddoedd, wedi ennill gradd Meistr yn y Celfyddydau, ac wrthi'n palfalu fy ffordd drwy'r holl weithiau hen a diweddar ar y gyfraith ganon: *Dionysio*'r Pab Hadrian I, a baratowyd ar gyfer Siarlymaen yn y flwyddyn 774, a'r *Hispana*, a dadogid ar Isodore o Séfil; cyfreithiau ffug Ffrainc, y *Capitula Angilramni*, o ganol y nawfed ganrif; *Decretum* yr Esgob Burchard o tua 1012; a gwaith pwysig Esgob Liége yn 1047, *De Ordinando Pontifice auctor Gallicus*, a osododd yr egwyddor na allai'r Ymherodr ymyrryd â chyfraith ganon y cytunwyd arni gan yr Eglwys. Yr oedd cyfraith eglwysig Lloegr, a sylfaenwyd gan yr Archesgob Lanfranc yn dilyn y goresgyniad Normanaidd, yn seiliedig ar gymysgedd o arferion y cyfandir, gan gynnwys ffug gyfreithiau Ffrainc, nes gosod trefn derfynol ar y cyfan drwy holl wledydd cred yng ngwaith enfawr Gratian o Bologna, y *Concordia Discordantium Canonum*, a ymddangosodd yn 1140. At y ddogfen hon, testun awdurdodedig y ddeddf, fe ychwanegwyd stadudau Gregori IX yn 1234, llyfr Boniface VIII yn 1298, a chyfansoddiadau Clement V yn 1317, a dyna lle safai pethau pan oeddwn i'n fyfyriwr. Deuthum i wybod am lysoedd yr Eglwys – sut i'w cynnull a'u cynnal a'u dirwyn i ben; am hawliau a dyletswyddau offeiriaid; am eiddo eglwysig – pryniannau a gwerthiannau, les, benthyciadau a thaliadau, rhoddion ac ewyllysiau a degymau; am y gyfraith ar briodas, godineb, llofruddiaeth, lladrad, usuriaeth a thyngu anudon. Deuthum i ddeall hefyd mai tuedd Senedd Lloegr dros y blynyddoedd diwethaf fu pasio deddfau i gyfyngu ar hawliau'r Pab yn y deyrnas, a bod y Pab yntau yn barod, at ei gilydd, i dderbyn enwebiadau'r goron i esgobaethau gweigion yn Lloegr a Chymru.

Yr oedd Siôn Trefor yn tynnu fy nghoes yn ddidrugaredd.

'Dyna chdi, Siôn Trefnant. Dilynwr Wycliffe, mi fwytaf fy het. Os ydi Wycliffe yn iawn na ddylai'r Eglwys ddal eiddo, beth ydi'r pwrpas o gribinio drwy ryw fân reolau ynglŷn â'r eiddo hwnnw?'

'Chdi ddywedodd, Siôn Trefor, mai peth da ydi i ddyn gael mwy nag un llinyn i'w fwa.'

*   *   *

1377 oedd y flwyddyn y disgynnodd yr ordd. Erbyn hynny treuliaswn ryw ddeuddeng mlynedd yn Rhydychen, ac yr oeddwn bellach yn un o athrawon cydnabyddedig y lle, gydag ystafelloedd i mi fy hun yng Ngholeg Merton. Roeddwn i hefyd wedi cael segurswydd dau blwyf yn Swydd Gaerloyw, ac roedd yr incwm ohonynt yn ddigon i'm cadw mewn peth moethusrwydd, er bod yn rhaid imi dalu rhywfaint am wasanaeth dau ficer. Roedd Wycliffe wedi cyhoeddi ei waith mawr, *Ar Arglwyddiaeth Suful*, flwyddyn ynghynt, ac wedi derbyn cymeradwyaeth awdurdodau'r brifysgol amdano, yn bennaf am ei fod yn gwrthwynebu talu treth yr oedd y Babaeth yn ei hawlio gan Loegr, a bod hynny'n plesio dilynwyr y brenin yn y brifysgol.

Roedd hi'n wanwyn persawrus, a minnau wedi mynd am dro plygeiniol ar lan afon Tafwys, gan fwynhau sylwi ar y coed helyg ieuainc yn eu hedmygu'u hunain yn nŵr llonydd yr afon, ac ar gampau ymffrostgar yr adar llawn cynnwrf ar dymor nythu. Roedd briallu fel heuliau bychain yn tywynnu o wyrdd tyner y perthi, ac ambell genhinen Bedr falch yn dechrau ymsythu ar lan y dŵr i chwythu'i hutgorn aur i groesawu'r haf. 'Trueni,' meddyliwn, 'na fyddai cyffro deffroad y gwanwyn yn ernes o ryw ddeffroad hefyd yn agweddau pobl.' Yn sydyn, fe glywn weiddi croch o gyfeiriad y ddinas, a gwelwn rywun yn rhedeg tuag ataf ar draws y ddôl eang.

'Siôn Trefnant! Siôn Trefnant!'

Y Brawd Gerallt oedd yno. Roedd yn rhedeg fel pe bai helgwn y fall ar ei warthaf, ac yn nesáu ataf yn llawn llythyr, a'i wynt yn ei ddwrn.

'Pa newyddion, y Brawd Gerallt?'

Roedd Gerallt yn ei ddyblau, yn ceisio adennill ei anadl.

'Wycliffe,' meddai toc. 'Sudbury. Esgob Llundain.'

'Ydi'r Archesgob Sudbury erioed wedi penodi Wycliffe yn Esgob Llundain?' holais yn anghrediniol.

'Na,' tuchanodd Gerallt, gan amneidio â'i ben a'i freichiau. 'Mae Sudbury wedi ei wysio fo.'

'Wedi'i wysio fo?'

'I Sant Pawl, Llundain.'

'I Sant Pawl, Llundain? I beth, yn enw pob rheswm?'

'I ateb cyhuddiadau o flaen yr esgobion.'

'Cyhuddiadau? Pa gyhuddiadau?'

Disgynnodd y Brawd Gerallt yn swp ar y borfa o'm blaen.

'Cyhuddiadau'r Pab Gregori, Siôn. Mae Gregori wedi cyhoeddi pum dogfen yn condemnio deunaw o gasgliadau Wycliffe. Mae'r dogfennau wedi'u hanfon at Archesgob Caergaint, Esgob Llundain, y brenin a Phrifysgol Rhydychen. Mae o wedi gorchymyn Sudbury i wysio Wycliffe o flaen yr esgobion i ateb y cyhuddiadau. Ac mae o wedi gorchymyn y brifysgol i garcharu Wycliffe. Mae'n rhaid inni wneud rhywbeth, Siôn.'

Yr oedd clychau rhybudd yn dechrau canu'n uchel yn fy mhen.

'Sudbury. Esgob Llundain. Y Pab. Beth ar wyneb y ddaear y gelli di a mi ei wneud, Gerallt?'

'Fedrwn ni ddim gadael iddyn nhw ei garcharu o, Siôn.'

'Ond wneith y brifysgol mo'i garcharu o, siŵr iawn. Maen nhw wedi bod yn gyson gefnogol iddo fo.'

'Mae yna ddirprwyaeth ohonom ni'n meddwl mynd at Sudbury ar ei ran o, Siôn. Ddoi di efo ni?'

Seiniodd y clychau yn fy mhen yn uwch fyth.

'Wn i ddim a fedra i wneud hynny, Gerallt.'

'Wrth gwrs y medri di, Siôn, os ydi'r ewyllys gennyt ti. Fedri di ddim troi cefn arno fo rŵan yn awr ei angen, neu mi fyddi di'n waeth gwadwr na Phedr. Ac rwyt ti'n adnabod Sudbury.'

'Nac ydw, Gerallt, dydw i ddim yn ei adnabod o. Mi gefais f'ordeinio ganddo beth amser yn ôl, dyna'r cyfan.'

'Tyrd efo ni, Siôn, rydw i'n erfyn arnat ti.'

* * *

'Paid,' taranodd Siôn Trefor, a'i lais yn atseinio dros yr ystafell yng Ngholeg Merton. Yr oedd yn sefyll rhyngof i a'r ffenestr yng ngwyll meddal y machlud. 'Paid â mynd ar y cyfyl. Fe allai Wycliffe fod mewn dŵr poeth ddychrynllyd. Does dim galw ar i ti dy roi dy hun yn yr un sefyllfa. Ar hyn o bryd, dydi Sudbury ddim callach dy fod di ymhlith dilynwyr Wycliffe. I be'r ei di ato fo o'th wirfodd i gyfaddef hynny? Gad i bethau fod – er dy fwyn dy hun.'

Ond mynd wnes i, er gwaethaf Siôn Trefor: y Brawd Gerallt a John Purvey, ysgrifennydd Wycliffe, a minnau, a thri arall, yn marchogaeth o Rydychen i Balas Lambeth i ymofyn gwrandawiad gan yr archesgob. Yr hyn a drodd y fantol i mi oedd penderfyniad Confocasiwn y Brifysgol i beidio â charcharu Wycliffe, ond i'w gyfyngu yn hytrach i'w lety yn y Neuadd Ddu i ddisgwyl ei brawf o flaen yr esgobion. Gan fod ei dynged, felly, yn nwylo'r esgobion, a'r brifysgol, i bob pwrpas, wedi golchi'i dwylo o'r mater, yr oedd pob cyfiawnhad, yn fy marn i, dros apelio, deued a ddelo, at Sudbury.

Ganol y bore ar ŵyl Ifan, diwrnod hwyaf y flwyddyn, y cyraeddasom gatiau mawr haearn Palas Lambeth.

'Dirprwyaeth o Rydychen at yr archesgob,' meddai John Purvey mewn ateb i sialens y milwyr wrth y gatiau.

Dyma ni'n disgyn oddi ar ein ceffylau yn y buarth, ac yn cael ein hebrwng i mewn i gyntedd y plas, ac i ŵydd rhyw swyddog trwynsur.

'Enwau?' cyfarthodd hwnnw. 'Teitlau? Graddau?'

Gan fod pethau o'r fath yn bwysig i ddenu sylw'r archesgob, rhoddais i fy enw fel 'Siôn Trefnant, Meistr yn y Celfyddydau, Doethur yn y Gyfraith, un o athrawon Prifysgol Rhydychen.'

'Eich busnes â'r archesgob?'

'Mater o gyfraith,' atebais innau. Doedd dim pwrpas datgelu gormod i hwn.

'Rydych chi'n deall fod yr archesgob yn brysur?'

'Rydym ni'n llwyr ymwybodol o hynny.'

Rhoes y swyddog ryw wedd ddifrifddwys ar ei wep, a gwyro ymlaen atom mewn ystum o barchedig gyfrinach.

'Ac yn arbennig o brysur yn wyneb yr hyn a ddigwyddodd y bore yma.'

Yr oedd y chwech ohonom yn syllu arno mewn penbleth.

'Mae'n amlwg na wyddoch chi ddim,' ebe'r swyddog. 'Yn ei gwsg, yn gynnar iawn y bore yma, fe fu farw'r brenin.'

*　　　*　　　*

Aeth tridiau heibio cyn inni gael gweld yr archesgob, tridiau o gicio'n sodlau o gwmpas Palas Lambeth ynghanol y cynnwrf o baratoi at goroni'r brenin newydd. Buasai'r etifedd naturiol, Edward, y Tywysog Du, farw yn y rhyfel diderfyn â Ffrainc flwyddyn cyn marw'i dad, a'i fab ef, Rhisiart, a fyddai'n awr yn esgyn i'r orsedd. Ond yr oedd brawd y Tywysog Du, Siôn o Gawnt, â'i lygaid ar yr orsedd, yn ôl rhai, ac yn benderfynol y câi ei fab ef, Harri Bolingbroke, wisgo'r goron, ac fe fyddai gan Siôn o Gawnt awdurdod mawr yn y deyrnas nes deuai Rhisiart i oed. A beth, holai'r tafodau prysur o gwmpas Palas Lambeth, am Rhosier Mortimer, ŵyr Dug Clarens, brawd arall y Tywysog Du a Siôn o Gawnt? Yr oedd gwaed brenhinol ynddo yntau, trwy Philippa, ei fam, a thrwy gysylltiad teuluol ei dad â hen dywysogion Gwynedd gallai hefyd olrhain ei linach yn ôl i gyn-frenhinoedd Ynys Prydain. Yr oedd mab fy hen noddwr, yn ôl pob golwg, o fewn trwch blewyn i'r orsedd.

Eisteddai Sudbury mewn cadair uchel ar lwyfan bychan ryw dair gris oddi ar y llawr, ei ysgrifennydd ar ei ddeheulaw, a rhyw swyddog arall ar yr aswy. Safem ninnau, y chwech ohonom, ar y llawr o'i flaen. Yr oedd golwg flinedig arno, a chyfarchodd ni'n swta a chysglyd.

'Ie?'

'Rydym ni'n ddirprwyaeth o Brifysgol Rhydychen,' meddai John Purvey, 'ar ran y brifysgol, ac ar ran John Wycliffe.'

'Ie?'

'Rhaid inni esbonio i chi, i ddechrau, Eich Gras, fod y brifysgol yn gwrthod carcharu Wycliffe am ei bod hi'n dal nad oes gan y Pab hawl i orchymyn carcharu'r un Sais yn ei wlad ei hun.'

'Ie?'

'Rhaid inni ddatgan hefyd fod y brifysgol yn cefnogi safbwyntiau Wycliffe. Felly hefyd y bobl. Byddai i'r Pab gymryd camre yn erbyn Wycliffe yn beryg o annog gwrthryfel difrifol yn y deyrnas.'

'Ie?'

Yr oedd atebion unsillafog a diamynedd yr archesgob, mi welwn, yn bwrw Purvey oddi ar ei echel.

'Rydym ni'n gofyn ichi, felly, Eich Gras, ddangos trugaredd tuag at Wycliffe pan fydd o'n ymddangos o'ch blaen chi i ateb cyhuddiadau'r Pab.'

Ymystwyriodd Sudbury yn ei sedd.

'Fydd o ddim.'

'Mae'n ddrwg gen i, Eich Gras,' meddai Purvey. 'Dydw i ddim yn deall.'

'O leiaf, rydw i'n gobeithio na fydd o ddim. Fydd o ddim am beth amser, beth bynnag. Mae gen i bethau pwysicach ar fy meddwl ar hyn o bryd na Wycliffe. Y cam cyntaf fydd cael adroddiad manwl ar ei weithgaredd o gan y brifysgol. Mi gymerith hynny rai misoedd. Yr ail gam fydd cael y Senedd i dalu'n dawel y dreth sy'n ddyledus i'r Pab. Os talith y Senedd, mi gaiff Wycliffe ddweud beth fynn o.'

Yr oedd Sudbury'n graddol dynnu'r gwynt o hwyliau'r chwech ohonom.

'Rhaid ichi sylweddoli,' meddai, 'mai cynrychiolydd y Pab ydi'r archesgob. Os yw'r Pab yn hawlio treth, cyfrifoldeb yr archesgob ydi gweld fod y dreth yn cael ei thalu. Y Senedd sy'n penderfynu a ydi hi'n cael ei thalu ai peidio. Os talith y Senedd, popeth yn iawn. Os na wneith hi, rhaid gofyn wedyn pwy neu beth sy'n dylanwadu er drwg arni. Dyna lle y mae syniadau Wycliffe yn dod i mewn i'r darlun. Ond y mae tynged Wycliffe yn dibynnu ar benderfyniad y Senedd.'

'Ond gyda phob parch, Eich Gras,' meddwn i, 'mae'r Senedd yn debygol o droi at Wycliffe i ofyn a ydi'r dreth yn ddiwinyddol gyfreithlon. Ac y mae Wycliffe yn siŵr o ateb nad ydi hi ddim.'

'Mater i Wycliffe ydi hynny,' ebe Sudbury. 'Sut bynnag, wela i ddim fod dim arall i'w drafod ar hyn o bryd.'

Sylweddolodd y chwech ohonom fod y gwrandawiad ar ben. Moesymgrymwyd i'r archesgob, a throi i ymadael. Cyn inni gyrraedd y drws, fodd bynnag, dyma lais Sudbury yn utganu dros y neuadd:

'Trefnant!'

Trois innau ar fy sodlau, a gweld yr archesgob yn derbyn rhyw nodiadau o law ei ysgrifennydd, cyn amneidio arno ef a'r swyddog arall i adael yr ystafell.

'Trefnant, mae arna i eisiau gair â thi.'

Dim ond y gŵr mawr a minnau oedd ar ôl yn y neuadd eang yn awr, y naill yn llygadu'r llall. Yr oedd golwg lawer mwy effro ar Sudbury erbyn hyn.

'Faint ydi dy oed di, Trefnant?'

'Naw ar hugain, Eich Gras.'

'Ac maen nhw'n rhoi doethuriaethau yn y gyfraith i ddynion naw ar hugain oed yn Rhydychen erbyn hyn, ydyn nhw? Beth ydi dy gysylltiad di efo Wycliffe?'

Dyma hi, meddwn wrthyf fy hun. Y diwedd. Fedra i ddim gwadu rŵan. A chan lyncu fy mhoer,

'Yr ydw i'n un o'i ddilynwyr o,' meddwn yn wan.

'Ar fater treth y Pab?'

'Ie.'

'Ar fater traws-sylweddiad?'

'Ie.'

'Ar fater cyfieithu'r Ysgrythurau i'r ieithoedd cyffredin?'

'Ie. Rydw i'n gweld llawer o synnwyr yn hynny hefyd.'

'Dyna dy gyffes di, Siôn Trefnant?'

'Dyna fy nghyffes i, Eich Gras.'

'Wnei di ei thynnu hi'n ôl?'

'Mae arna i ofn na fedra i ddim, Eich Gras.'

'Yr ydw i,' meddai Sudbury, 'yma i wrando cyffes. Rydw i wedi gwrando dy gyffes di. Ond dydw i ddim wedi ei chlywed hi. Yn fy nghofnodion personol mi fydda i'n croniclo fod Siôn Trefnant, yn y gyffesgell gyda mi heddiw, wedi gwadu gwirionedd holl athrawiaethau Wycliffe, a datgan mai heresïau cyfeiliornus a di-sail ydyn nhw i gyd. Ymhellach, ei fod o wedi cytuno, ar gyfarwyddyd ei Dad yn Nuw, i wneud penyd am y blynyddoedd y bu'n coleddu'r athrawiaethau gau hyn, ac y bydd yn ymadael ar y cyfle cyntaf ar bererindod i Rufain. Ac os byddi di'n anghytuno, Siôn Trefnant, mi ofala i na fydd yr un segurswydd na bywoliaeth eglwysig na swydd dysgu na swydd wrth gyfraith yn agored iti ledled y deyrnas hon tra byddi di byw.'

Wrth imi wrando ar hyn yr oedd yr ystafell yn nofio o flaen fy llygaid; roedd fy ngheg yn grimp, a'r dagrau'n agos, a'm stumog yn troi. Amneidiodd yr archesgob â'i law.

'Tyrd i eistedd gyda mi, Siôn Trefnant.'

Esgynnais y tair gris yn syfrdan, ac eistedd yn y gadair lle buasai'r ysgrifennydd rai munudau ynghynt. Trodd yr archesgob ataf, a dweud yn garedig:

'Mae hyn er dy les di, Siôn. Mae Wycliffe mewn mwy o bicil nag a feddyliaist ti erioed, o bosibl. Mae dynion wedi cael eu llosgi wrth y stanc am lai. A dyna fydd tynged Wycliffe hefyd, os na bydd o'n ofalus. A thynged ei ddilynwyr o. A'th dynged dithau, os na newidi di dy ffyrdd. Pa bwrpas, Siôn, sydd mewn ennill cymwysterau ardderchog fel y rhai sy gennyt ti, a'u llosgi nhw i gyd wedyn yn fflamau styfnigrwydd?'

Yn fy nryswch, dechreuais fregliach rhywbeth am ewyllys Duw.

'Dydi Duw,' meddai Sudbury, 'ddim yn ewyllysio marwolaeth pechadur, ond yn hytrach edifarhau ohono a byw. Mae dynion â chymwysterau fel dy rai di yn brin. Mae ar yr Eglwys angen cymwysterau fel yna. Fe allith ei defnyddio nhw. Ond mae ar yr Eglwys angen un peth arall, sef ufudd-dod. Mae'n well ganddi hi ufudd-dod hyd yn oed na chymwysterau. Mi ddringith yr ynfytyn mwyaf diddychymyg a dibersonoliaeth i fyny ysgol yr Eglwys, dim ond iddo fo gydymffurfio. Mi ddringith un disglair sy'n cydymffurfio i'r brig. Ond chaiff y gwrthryfelwr, waeth pa mor ddisglair bynnag y bo, mo'i droed ar y rheng isaf.'

Cofiais eto am gyngor cyson fy nhad i 'fynd gyda'r lli', ac am eiriau Siôn Trefor nad oes dim byd yn iawn sy'n mynd i arwain dyn i'r stanc.

'Rwyt ti wedi treulio gormod o amser ym mhair berw Rhydychen, Siôn,' meddai'r archesgob, 'ac wedi mwydro dy ben efo syniadau gwrthryfelgar. Mi wneith les iti gael cyfnod ar y cyfandir, i ti gael gweld pethau yn eu lliwiau iawn. Gwna dy baratoadau, a chychwyn ddechrau'r gwanwyn nesaf. Fynnwn i ddim iti deithio yn y gaeaf. Cymer dy amser. A phan gyrhaeddi di Rufain, mynna gael gweld y Pab. Mi fydda i wedi anfon neges ato i'th gyflwyno di.'

Dechreuodd ymgynghori â'r nodiadau a adawsai ei ysgrifennydd iddo.

'Mae gennyt ti segur-swyddi, mi welaf.'

'Oes, Eich Gras – dwy ohonyn nhw, yn Swydd Gaerloyw.'

'Mi gei di'u cadw nhw. Mi dalan am dy daith di.'

* * *

'Beth ar y ddaear ddywedodd y Sudbury felltith yna wrthyt ti, Siôn, dy fod ti mor benisel?'

Y Brawd Gerallt oedd yn holi wrth inni farchogaeth am adref i Rydychen.

'Mae o wedi ngorchymyn i i fynd i'r cyfandir,' meddwn innau'n llesg.

'Ydi m'wn. Un ffordd o gael gwared arnat ti. Ei di?'

'Wn i ddim beth arall alla i ei wneud.'

'Pryd?'

'Y gwanwyn nesa, medda fo.'

'Mae yna lawer o bethau a allai ddigwydd o hyn i'r gwanwyn, Siôn.'

Roedd y Brawd Gerallt, wrth gwrs, yn iawn. Ym mis Gorffennaf, fe goronodd Sudbury y brenin newydd, dengmlwydd oed, Rhisiart II. Yn union fel y proffwydais i, fe ofynnodd y Senedd, pan gyfarfu yn yr hydref, am farn Wycliffe ar gyfreithlondeb talu'r dreth i'r Pab, ac fe atebodd yntau y byddai'n anghyfreithlon. Cefnogodd y brifysgol ef yn ei hadroddiad arno i'r archesgob, a phan ymddangosodd ar ei brawf ym Mhalas Lambeth o flaen Sudbury a'r esgobion eraill yn fuan yn y flwyddyn newydd, fe rwystrwyd trafodaethau'r llys gan brotestio trystfawr torf fawr o'i gefnogwyr, ac fe ymyrrwyd ar ei ran gan neb llai na mam y brenin.

Er gwaetha'r datblygiadau cyffrous hyn, fodd bynnag, digon isel oeddwn i. Yr ymdeimlad o rwystredigaeth oedd y peth gwaethaf. Roeddwn i'n dal yn bur sicr y câi syniadau Wycliffe eu derbyn ryw ddydd, ond yr oeddwn i'n gwbl analluog i'w hybu. Nid fy mod i wedi troi fy nghefn ar yr achos – yn wir, erbyn meddwl, doedd yr archesgob ddim wedi mynnu fy mod i'n gwneud hynny yn benodol – ond allwn i wneud na dweud dim o'i blaid. Pe gwnawn i, mi fyddwn yn fy nifetha fy hun.

Dyna pam na fyddaf i ddim, yn fy nghyffes olaf, yn crybwyll yr un gair am hyn i gyd. Wedi'r cyfan, beth ddywedwn i? Ai fy mod i'n teimlo'n euog am imi gefnu ar Wycliffe? Pa gyffes fyddai honno i esgob uniongred? A sut bynnag, fyddai hi ddim yn gwbl wir. Ai ynteu fy mod i'n teimlo'n euog am imi barhau ar hyd fy oes yn ffyddlon i Wycliffe? Pa gyffes fyddai honno i un o weision y Pab? A fyddai hithau ychwaith ddim yn gwbl wir. Taw piau hi. Mae'n haws bob amser cyffesu gwendidau'r cnawd a'r byd na gwendidau'r ewyllys a'r ysbryd.

IV

Rydw i'n teimlo beth yn well y bore yma, ac wedi codi i'r gadair yn y ffenestr. Mae'r eira wedi cilio oddi ar fuarth y clas, ond mae'r wybren o hyd fel llurig lwyd, drom uwchben dinas Henffordd, a'r brain, fel brodyr duon, yn ffwdanu ym mrig y deri draw. Daw Ieuan Offeiriad i mewn ar ei ymweliad boreol, yn cludo powlaid o ddŵr ymolchi.

'Oes yna unrhyw newydd o Gymru, Ieuan?'

'Dim rhyw lawer, f'arglwydd esgob. Mae gwŷr Amwythig wedi anfon at y brenin am gymorth, a bu llong o Ffrainc yn gwarchae'n aflwyddiannus am rai wythnosau ar gastell Conwy.'

Llong o Ffrainc a aeth â minnau i'r cyfandir o'r diwedd. Glanio yn San Malo yn Llydaw, a dilyn arfordir gorllewinol Ffrainc i lawr at y Pyrenëeau. Ond roedd hi'n ddechrau'r hydref, nid dechrau'r gwanwyn, arna i'n cael cychwyn, oherwydd, a minnau'n barod i ffarwelio â Rhydychen tua'r Pasg, fe fu farw'r Pab Gregori. Yr oedd ef, ychydig cyn ei farw, wedi symud y babaeth o Avignon yn Ffrainc, lle cawsai ei lleoli ers mwy na thrigain mlynedd, yn ôl i Rufain. Wedi ei farw, etholwyd Urban VI yn Bab yn Rhufain, ac Eidalwr oedd ef. Gwrthwynebai cardinaliaid Ffrainc benodi Eidalwr i'r swydd, a neilltuasant i ethol eu dewis hwy, Robert o Genefa, i lywodraethu o Avignon o dan yr enw Clement VII. O hyn allan, felly, yr oedd dau bab – y naill yn Rhufain, a'r llall yn Avignon. Yr oedd Archesgob Caergaint wedi gorchymyn i mi fynd ar bererindod at Bab Rhufain. Ond beth pe bai Senedd Lloegr yn datgan ei chefnogaeth i Bab Avignon? Ffolineb o'r mwyaf –

trychineb yn wir – fyddai imi ymlwybro at Urban, a deall wedyn fod fy archesgob yn cefnogi Clement. Cyngor Siôn Trefor, fel erioed, oedd aros i weld. Fedrwn i ddim aros yn rhy hir, fodd bynnag, rhag ofn i Sudbury ddod i ddeall fy mod i'n dal i hel fy nhraed yn Rhydychen, a'm cyhuddo o anufudd-dod. Yr oedd cynllun yn graddol ymffurfio yn fy mhen.

'Y peth imi ei wneud, Siôn Trefor, ydi cychwyn am y cyfandir. Mi fydda i wedyn o leiaf wedi diflannu o Rydychen. Rydw i'n deall fod yna gwmni o Lundain yn bwriadu pererindota i Santiago de Compostela. Mi fedra i fynd efo nhw, ac mi fedrith yr hen sinach Sudbury gymryd fy mod i'n gwneud hynny fel penyd. Pan fydd Cyngor y Brenin wedi penderfynu pa bab i'w gefnogi, mi fedra i fynd yn fy mlaen, naill ai i Rufain neu i Avignon.'

'Gwyn dy fyd di,' meddai Siôn Trefor, 'yn cael gwagsymera ar y cyfandir am fisoedd. Meddylia amdana i, Siôn.'

'Gwyn dy fyd dithau,' meddwn i, 'yn cael aros ar ôl ym merw Rhydychen.'

'Dyna lle'r wyt ti'n ei methu hi, Siôn. Rydw innau'n gadael Rhydychen.'

'I ble felly, Siôn Trefor?'

'I ddinas Wells. Rydw i wedi cael swydd yn bencantor y gadeirlan yno.'

*   *   *

Fe aeth yr wythnosau yn Ffrainc heibio fel breuddwyd. O edrych yn ôl, rydw i'n bur siŵr fy mod i, am yr wythnosau cyntaf, mewn stad o syfrdandod, gan mor ddieithr y wlad ac mor fregus fy amgylchiadau innau. Atgof mor niwlog â'i thirwedd sydd gen i am farchogaeth, yn un o'r cwmni, drwy Lydaw lawog a charegog, ond mi wn inni dreulio rhai nosweithiau yn ninasoedd Rennes a Nantes, yn ogystal ag mewn lleoedd eraill ar y daith. Ymlaen wedyn, dan wybren fawr Ffrainc, i dref borthladd La Rochelle, ac aros yno am ddyddiau lawer i orffwyso a hamddena, gan dreulio'r nosau mewn tafarn fechan seml a chroesawgar ar heol gul, goblog, yr oedd toeau ei thai fframiau coed bron yn cyffwrdd â'i gilydd uwch y ffenestri ceimion.

Ar y drydedd noson, yr oeddem yn eistedd yng ngardd y dafarn yn gwrando ar ryw lencyn yn canu rondo i gyfeiliant math o grwth. Gallaf glywed y geiriau yn fy nghlustiau y munud hwn:

Hareu! commant m'i maintendrai
Qu'Amors ne m'i laissent durer?

Apansez sui que j'en ferai;
Hareu! commant m'i maintendrai?

A ma dame consoil prendrai
Que bien me le savra donner.

Hareu! commant m'i maintendrai
Qu'Amors ne m'i laissent durer?

'Lol i gyd!' gwaeddodd rhyw ferch ifanc a oedd yn eistedd mewn cwmni arall wrth fwrdd crwn gerllaw inni. Yr oeddwn wedi sylwi arnynt ers meitin – tri o ddynion, a hithau, y ferch lygatddu a'r gwallt lliw mêl dros ei hysgwyddau, a'r corff gosgeiddig, a'r osgo cyffrous, yn olygus fel na all neb ond genethod fod yn olygus. Sgwrsiai'r pedwar â'i gilydd mewn sibrydion ffyrnig a chynllwyngar, ac yr oedd rhyw olwg o ofid neu ofn yn eu gwedd.

'Lol i gyd!' ebe hi. 'Nid cariad mab a merch ydi'r serch mwyaf rhamantus sy'n bod. Mi ddyweda i stori wrthych chi. Stori wir. Stori am ŵr yr oeddwn yn ei adnabod yn dda, ac a fyddai gyda ni heddiw oni bai am ddichell brenin Lloegr. Yvain oedd ei enw, ac ef ei hun a adroddodd yr hanes. Yr oedd penrhyn o wlad Lloegr yn eiddo i Yvain, ond yr oedd y brenin wedi ei feddiannu ers degau o flynyddoedd, a daeth Yvain yma i Ffrainc i fyw, a chynnig ei wasanaeth i'n brenin ni, ac fe'i dyrchafwyd yn un o brif gadlywyddion y deyrnas. Un dydd, pan oedd yn cerdded mewn coedwig nid nepell o ddinas Bordeaux, fe gyfarfu, meddai ef, â dyn hysbys. "Yvain," ebe'r dyn hysbys, "yng nghanol y goedwig yma, y mae ffynnon. Dos at y ffynnon, a chusana'r ferch a weli yn codi o'i dŵr. Hi fydd dy wraig di." Cerddodd Yvain rhagddo, yn llawn cynnwrf, gan ei fod yn ifanc a dibriod, a'i fryd ar sicrhau mab i etifeddu ei wlad gaeth ryw ddydd. Maes o law, fe gyrhaeddodd y ffynnon. O ddŵr y ffynnon fe gododd hen wrach esgyrnog, a llysnafedd yn diferu oddi ar ei chorff du, broga tew ar un o'i hysgwyddau, a llysywen ar y llall, a gelod yn glynu at ei gwefusau. "Cusana fi, Yvain," ymbiliodd y wrach. "Cusana fi." Dychrynodd Yvain am ei fywyd o feddwl mai'r hen wrach hon fyddai ei wraig, a rhedodd nerth ei draed o'r fan. Wedi dod ato'i hun, meddyliodd roi cynnig arall arni, ond digwyddodd yr un peth yr eilwaith. Ond dyn dewr oedd Yvain. "Os digwydd hyn eto," meddai wrtho'i hun, "mi ufuddhaf i orchymyn y dyn hysbys." Yn ôl at y ffynnon ag ef, a dyma'r wrach yn ymddangos iddo eto, ac os oedd hi'n hyll arswydus y tro cyntaf, yr oedd hi'n deirgwaith hyllach a mwy arswydus y tro hwn. "Cusana fi, Yvain," ebe hi'n wylofus, gan estyn ei breichiau di-gnawd tuag ato. "Cusana fi." A gafaelodd Yvain ynddi â'i ddwyfraich gref, a chan gau ei lygaid yn dynn cusanodd hi'n ffyrnig ar ei gwefusau. Yn sydyn, fe deimlai gnawd ar yr esgyrn o dan ei ddwylo, ac yr oedd y cnawd yn dyner ac yn feddal. Agorodd ei lygaid, a gwelodd ei fod yn cofleidio merch ifanc anghymharol ei phrydferthwch – ei gwallt fel blodau'r banadl, ei llygaid fel saffir, ei dannedd fel cregyn gwynion y traeth, a'i gwefusau fel petalau rhosyn. "Pwy wyt ti?" holodd Yvain, mewn syndod a braw. "Myfi," meddai'r ferch, "yw ysbryd sofraniaeth dy bobl di, Yvain. Y mae'r sofraniaeth honno wedi'i thraws-feddiannu. Ond yr wyt ti, drwy fy nghusanu fi pan oeddwn yn fy nghyflwr gresynus gynnau, wedi dangos mai ti yw gwir dywysog dy genedl, ac mai ti'n unig a all adfer ei sofraniaeth hi." Dychwelodd Yvain oddi wrth y ffynnon yn llawen, ac eto'n drist. Yn llawen am y gwyddai i sicrwydd bellach mai ef oedd tywysog cyfreithlon ei genedl. Yn drist am y gwyddai hefyd ei fod yn briod â'i genedl, ac na allai ei rwymo'i hun mewn perthynas â neb arall. Dyna pam y bu Yvain de Galles farw'n ddietifedd.'

Yn sydyn, dyma fi'n deffro drwof. Yvain de Galles? Owain o Gymru. Penrhyn o wlad Lloegr? Cymru, wrth reswm. Sofraniaeth wedi'i thraws-feddiannu? Llywodraeth arglwyddi'r Mers ac eraill. Doedd bosib . . . tybed nad Owain Lawgoch oedd

Yvain? Ond beth oedd hyn? Yr oedd y ferch yma'n honni ei bod yn adnabod yr Yvain hwn, ac yn awgrymu hefyd fod Yvain bellach yn farw.

Codais o'm sedd, a symud at y cwmni bychan o gwmpas y bwrdd gerllaw.

'Beth yw dy enw di?' gofynnais i'r ferch lygatddu.

'Geneviève,' atebodd. 'A thithau?'

'Siôn. Siôn Trefnant. Yr Yvein de Galles yma. Wyddost ti beth oedd ei enw iawn o? Ai Owain ap Tomas ap Rhodri?'

'Ie, yn wir,' ebe'r ferch. 'Oeddit ti'n ei adnabod o?'

'Nac oeddwn,' atebais, 'ond yr ydw i'n un o'i gydwladwyr o – o Gymru, y penrhyn hwnnw o Loegr, chwedl tithau. Ond dywed i mi: yr wyt ti'n sôn am Yvain fel pe bai wedi marw. Ydi hynny'n wir?'

Cymylodd gwedd y ferch.

'Ydi, ysywaeth,' meddai. 'Fe'i llofruddiwyd o ddiwedd mis Gorffennaf eleni, gan ŵr o'r enw John Lamb, a oedd yn ysbïwr ar ran Coron Lloegr. Wrth i'r frenhiniaeth newid yn Lloegr, roedd Yvain yn cael ei ystyried yn fygythiad.'

'Beth ddigwyddodd?' holais.

'Yr oedd Yvain yn ddyn balch, a chanddo raeadr o wallt melyn yn tonni dros ei ysgwyddau. Bob bore, ar adeg brwydr, byddai'n arferiad ganddo fynd allan i'r awyr agored, a chyda drych bychan o'i flaen byddai'n treulio mundau lawer yn cribo'r gwallt modrwyog, gan feddwl am dactegau milwrol ymgyrch y dydd. Yn ystod y gwarchae ar gaer Mortagne-sur-Mer ym mis Gorffennaf, fe aeth allan yn ôl ei arfer, ac eistedd ar graig fechan yng nghysgod y gaer i gribo'i wallt. Yn y drych fe welodd rywbeth yn symud y tu ôl iddo, a dyna'r peth olaf a welodd. Cyn iddo gael cyfle i droi, yr oedd John Lamb wedi plannu dagr yn ei gefn hyd at ei galon. Fe'i claddwyd yn eglwys Sant Léger ar afon Garonne, a chafodd John Lamb lond pwrs o arian gan y Goron am ei gymwynas. Fy Yvain annwyl! Yr oedd yn haeddu gwell nag a gafodd – mewn bywyd a marwolaeth.'

'Sut y daethost ti i'w adnabod?'

'Roeddwn i'n oruchwylwraig yr ystafelloedd yn ei lys. Doedd neb ohonom, o'r forwyn fach leiaf i'r prif ddistain, na fyddai'n barod i roi ei fywyd dros Yvain.'

Troes y ferch at ŵr ifanc barfog ar ei deheulaw.

'Gaston?'

'Gwir bob gair,' ebe hwnnw. 'Ac mi alla i ddweud yr un peth amdanom ni, ei filwyr. Ni fu erioed gadlywydd dewrach nag Yvain. Yr hyn na fyddai'n barod i'w wneud ei hun, ni fyddai byth yn gofyn i neb arall ei wneud ychwaith.'

Wrth i Gaston lefaru, fe ddaeth rhyw wasgfa ryfedd drosof. Ffrydiodd y dagrau i'm llygaid, a dechreuais igian crio yn ddirybudd. Dyma fi'n rhuthro oddi wrth y bwrdd, heb ymesgusodi na ffarwelio, a rhedeg i mewn i'r dafarn, ac i fyny'r grisiau culion i'r ystafell wely yr oeddwn yn ei rhannu â thri o ddynion eraill. Yr oedd yr ystafell yn wag. Disgynnais ar fy wyneb ar y gwely, a dechrau beichio wylo. Owain Lawgoch, o bawb, wedi marw. Y gŵr a fu, ers fy mhlentyndod, yn arwr rywle yng nghefn fy meddwl. Etifedd y tywysogion. Yr oeddwn bob amser wedi gobeithio mai ef oedd yr un a fyddai'n achub Cymru. A dyma fo, yn ddietifedd, mewn bedd cyffredin yn Ffrainc. Beth ddywedai'r bardd, a fu'n sôn amdano ar yr aelwyd yn Nhrefnant gynt? Beth ddywedai nhad? O ran hynny, oedd fy nhad a'r bardd yn dal yn fyw? Pa dynged oedd hon a roddwyd arnaf, fy mod bob amser yn cefnogi achosion coll: Wycliffe, Owain Lawgoch, Cymru? A dyma fi'n awr mewn gwlad estron, yn wynebu dyfodol ansicr, heb gyfaill yn y byd i rannu fy ngofid ag ef.

Ni wn pa mor hir y bûm yn gorwedd yno, ond deuthum i synhwyro maes o law fod rhywun yn penlinio wrth erchwyn y gwely, a bod braich dyner dros fy ysgwyddau.

'Siôn. Rwyt ti wedi cymryd atat.'

Trois yn araf, a gweld Geneviève yn syllu arnaf, a gofal yn amlwg yn ei llygaid duon. Gafaelais yn dynn amdani, a'i thynnu ataf ar y gwely, ac nid anghydsyniodd hi ddim. Cusenais hi'n orffwyll, a dechreuodd fy mysedd anwesu'r cnawd meddal dan ei gwisg. Ymlaen ac ymlaen â'r ddau ohonom, nes ein bod ein dau yn noethlymun yn ymnyddu ac yn ochneidio ar y gwely blêr. Ac yr oedd o'r peth mwyaf naturiol yn y byd.

* * *

'Dwyt ti'n gwybod dim byd am ferched, Siôn Trefnant,' meddai Geneviève.

Yr oeddem ein dau yn eistedd ar dywod melyn traeth La Rochelle, yn syllu allan ar y môr glas, llonydd.

'Mi fyddai'n anodd imi wybod,' meddwn innau. 'Chefais i erioed gwmni merched – yn yr ysgol yn Llanelwy nac yn Rhydychen.'

'Fe fu cyfyrder i mi, Siôn, yn hyfforddi i fod yn fynach un tro. Fe'i hanfonwyd o oddi cartref yn hogyn bychan iawn i fyw gyda'r mynachod, a dyna lle y bu o, am flynyddoedd lawer, wedi ei gau yn y fynachlog. Ond am ryw reswm, wnaeth o ddim ohoni. Pan oedd o'n rhyw un ar bymtheg oed, fe ddaeth yn ôl adref i'r fferm, a dyma'i dad yn mynd ag o am dro i ffair Maubourguet. Yn y ffair yr oedd yna griw o ferched ifainc yn dawnsio. "Beth ydi'r rheina, nhad?" gofynnodd yr hogyn. "Gwyddau, machgen i," meddai'r tad. Cyn mynd adref y noson honno, dyma fo'n dweud wrth y mab y câi o unrhyw beth a fynnai yn anrheg o'r ffair. "Be hoffet ti?" gofynnodd. Ac meddai'r hogyn, "Dew, un o'r gwyddau yna, os gwelwch chi'n dda, nhad."'

Chwarddodd Geneviève am ben ei chwedl.

'Roedd gen i un hen athro,' meddwn i, 'a fyddai'n mynnu mai merched oedd yn gyfrifol am y Cwymp.'

'Lol i gyd!' meddai Geneviève.

'Ond chwarae teg, mae'r Beibl yn dweud mai Efa ddaru fwyta ffrwyth y pren gwaharddedig yn gyntaf, ac iddi gael ei chosbi am hynny – "mewn poen y dygi blant", ac ati.'

'Lol i gyd! Efa fwytaodd yn gyntaf, Siôn, am fod merch bob amser yn fwy mentrus, ac, yn wahanol iawn i ddyn, nad ydi hi ddim yn fodlon ufuddhau i ryw hen reolau disynnwyr. Sut bynnag, mi fwytaodd Adda hefyd, ac mi gafodd yntau ei gosbi – "trwy chwys dy wyneb y bwytei fara". Mae dyn hefyd dan felltith.'

A thynnodd Geneviève ei thafod yn chwareus arnaf. Gafaelais innau amdani, a'i gwthio i lawr ar y tywod cynnes.

'Oes rhaid iti fynd rhagot ar dy daith, Siôn?'

'Mae'n rhaid imi, mae arna i ofn.'

'Fedri di ddim aros yma yn Ffrainc?"

'Rydw i dan orchymyn yr archesgob, Geneviève, ac mi allai hwnnw ddod o hyd imi ble bynnag y byddwn i. Clerigwr ydw i, ac mi fydd yn rhaid imi gael rhyw ffon fara. Beth sydd yna imi yn Ffrainc?'

Cododd Geneviève ar ei heistedd.

'Trwy chwys dy wyneb,' meddai, gan lusgo'i llaw yn ysgafn dros fy nhalcen. Ac yna, yn fwy penderfynol:

'Mi geith Gaston ddod gyda thi. Mi fydd yn dywysydd da. Mae o'n adnabod y wlad fel cefn ei law, a does ganddo ddim byd gwell i'w wneud rŵan ar ôl marw Yvain. Mae'n ddrwg gen i na fedraf innau ddod gyda chi.'

* * *

Teithiasom ymlaen, ein cwmni bach o bererinion, drwy Rochefort a Royan, a dilyn aber llydan afon Dordogne i ddinas Bordeaux. Oddi yno i Mont de Marsan, a bryd y pererinion ar gyrraedd dinas Pau cyn ymlwybro tua Roncesvalles, y bwlch yn y Pyrenëeau a arweiniai i Sbaen. Ond yr oedd hi erbyn hyn yn hydrefu'n drwm, ac yr oedd rhai o'n plith yn poeni na fyddai'n bosibl croesi'r Pyrenëeau tan y gwanwyn. Amdanaf fy hun, wrth gwrs, doedd gen i dim gwir fwriad i groesi'r Pyrenëeau o gwbl. Gwyddwn y byddai'n rhaid imi rywbryd gyfeirio fy nghamre tua'r dwyrain, i Avignon neu i Rufain.

O dipyn i beth, wedi mynd heibio i dref Mont de Marsan, fe ddaeth y Pyrenëeau i'r golwg. Ymrithient o'n blaen ar y gorwel, yn wahoddgar, fygythiol, weithiau'n glir ac weithiau'n ddim ond siapiau annelwig yn ymdoddi i'r wybren.

'Beth ydi'r gair Groeg am "dân", Siôn?' gofynnodd Gaston imi, wrth syllu i'w cyfeiriad ryw ddydd.

'*Pyra*,' meddwn innau. 'Pam?'

'Felly, mae'r stori'n wir.'

'Pa stori?'

'Y stori am y duw Heracles,' meddai Gaston. 'Yr oedd Heracles yn caru merch o'r ardal hon, ond bu'r ferch farw. Yr arfer y pryd hynny oedd llosgi cyrff y meirw ar goelcerth angladd. Yn ei ofid, gwnaeth Heracles y goelcerth angladd fwyaf a welwyd erioed i'w gariad – rhesi o fynyddoedd yn llosgi'n wenfflam, ac afonydd o aur ac arian yn llifo ar hyd eu copaon, a dyna yw'r Pyrenëeau. Daw eu henw o'r gair Groeg am "dân".'

Y munud hwnnw, digwyddem fod yn mynd heibio i geg ogof fechan yn y graig isel gerllaw. Llifai nant fyrlymus a throchionog o geg yr ogof.

'Ar fy llw,' meddai Gaston, 'maen nhw wedi gwneud daliad da heddiw.'

'Pwy?' holais. 'Daliad da o beth?'

'Aros eiliad,' gorchmynnodd Gaston.

Dyma ni'n sefyll yno, yng ngheg yr ogof, yn gwylio dawns y dŵr. Ymhen ychydig funudau, ac yn gwbl ddirybudd, dyma'r llif byrlymus yn darfod. Yr oedd y llwybr lle y buasai'r nant gynnau yn gwbl sych.

'Dyna chdi,' ebe Gaston. 'Rywle ymhell yng nghrombil yr ogof yna y mae'r Tylwyth Teg yn byw. Pan fyddan nhw'n golchi eu dillad, maen nhw'n gollwng y dŵr allan drwy geg yr ogof, a mwyaf yn y byd o olchi a fu, mwyaf byrlymus ydi'r dŵr. Dyna pam y mae nant i'w gweld yma weithiau, a dim byd ond llwybr sych dro arall.'

'Wyt ti'n frodor o'r ardal yma, Gaston?'

'Ddim yn hollol. Brodor o ddyffryn Ariège, ychydig i'r dwyrain, ydw i. O ddinas Foix. Yr ydw i'r un enw â Iarll Foix, Gaston Fébus, tywysog Béarn. Mae Béarn mor wahanol i Ffrainc ag yw Cymru i Loegr. Mi fyddwn yn mynd i mewn iddi cyn bo hir. Mae dinas Pau yn rhan ohoni.'

Un noson, pan oeddem yn ymlacio mewn tafarn wrth draed y Pyrenëeau, fe ofynnodd imi:

'Beth ydi bwriad dy bererindod di, Siôn?'

'Pwy ŵyr?' meddwn innau. 'Nid fi a'i bwriadodd hi. Penyd arnaf, debyg, gan y sawl a'i gorchmynnodd hi. Neu ddisgyblaeth hwyrach. I mi, mae'n ddihangfa.'

'Dihangfa rhag beth?'

'Rydw i wedi bod yn dianc ar hyd fy oes, Gaston. Fy nhad drefnodd y ddihangfa gyntaf imi – dianc i ysgol Llanelwy rhag y posibilrwydd o ormes a thlodi a rhyfel. Dianc wedyn i Rydychen, rhag gorfod wynebu fy nghyfrifoldebau yng Nghymru – dianc i chwilio am hawddfyd. A dianc o Rydychen rhag gorfod amddiffyn safbwyntiau crefyddol sy'n rhy newydd i'r Eglwys.'

'Dwyt ti erioed yn un o'r Cathariaid, Siôn?'

'Y Cathariaid?'

'Maen nhw'n dweud i mi fod yna rai ohonyn nhw'n dal o gwmpas. Sect grefyddol ydyn nhw, yn credu mewn deuoliaeth: mai teyrnas y diafol yw'r byd hwn, a'r bobl lygradwy, feidrol ac amherffaith sydd ynddo, a bod Teyrnas Dduw i'w chyrraedd drwy fyw'n dda yma yn nheyrnas y diafol. Gan mai uffern yw'r byd hwn, caiff y pechadur ei aileni iddo dro ar ôl tro, nes ei berffeithio, a'i aileni yn y diwedd i Deyrnas Dduw. Heresi, meddai'r Pab, a chymaint oedd dylanwad y Cathariaid yn y rhan hon o'r wlad, yn enwedig o gwmpas ardal fy mebyd i yn Foix, nes iddo orchymyn croesgad yn eu herbyn. Ciliodd rhai cannoedd ohonynt i hen gaer Montségur, heb fod ymhell o Foix. Codwyd y gaer garreg honno ar ben bryn hirgrwn, serth, sy'n esgyn yn bigyn tal o'r mynyddoedd uchel oddi tano – safle y byddai'n gwbl amhosibl i unrhyw fyddin ddringo ato i'w gymryd. Ganol y ganrif ddiwethaf, fe osododd lluoedd brenin Ffrainc, o dan Hugues des Arcis, warchae ar y gaer yn enw'r Pab. Buont yno am fwy na blwyddyn, ond y gwanwyn dilynol, oherwydd newyn, gorfodwyd y Cathariaid i ildio. Cyneuodd Hugues goelcerth fawr wrth droed y bryn o dan y gaer, a rhoi dewis i bob un ohonynt, fel y dynesent ati: naill ai ymwrthod â'i heresi neu ynteu gael ei losgi yn y tân. Wyddost ti faint ohonyn nhw wnaeth gefnu ar eu ffydd, Siôn?'

'Faint?'

'Dim un. Dim un o gwbl. Fe gerddodd dau gant a phump ar hugain ohonynt, yn wŷr a gwragedd a phlant, y naill ar ôl y llall, i ganol y fflamau. Dyna iti beth ydi teyrngarwch.'

'Fyddai o ddim gen i, mae arna i ofn,' meddwn yn chwerw.

'Ond cyn yr ildio, yr oedden nhw wedi llwyddo i smyglo eu trysorau allan o'r gaer, a'u cuddio. A wyddost ti beth oedd un o'r trysorau hynny, Siôn?'

'Dim syniad,' atebais.

'Y Greal Sanctaidd,' sibrydodd Gaston, gan ymgroesi. 'Y cwpan a ddefnyddiodd Crist ei hun yn y Swper Olaf. Mae'n rhyfedd meddwl fod y Greal wedi'i guddio, yn ôl pob tebyg, yn rhywle yng ngwlad Béarn.'

*   *   *

Wrth inni nesáu at diriogaeth Béarn, roedd hi'n dechrau dod yn amlwg na chroesai'r cwmni mo'r Pyrenëeau am beth amser. Yr oedd hi bellach yn fis Tachwedd, a'r eira eisoes i'w weld yn garthen wen ar y copaon.

'Fuaswn i ddim yn dweud ei fod o wedi cyrraedd cyn ised â Roncesvalles,' ebe Gaston wrthynt, 'ond y peryg ydi iddo fo feiriol peth ar y copaon, a llithro i lawr a llenwi'r bylchau yn y mynydd y byddwn ni'n ceisio mynd drwyddynt. Mi wn i am deithwyr a gafodd eu dal felly, heb fedru mynd ymlaen nac yn ôl. Os cilith o o'r copaon, mi mentrwn ni hi. Os na wneith o, mi fyddai'n well inni aros yn Pau tan y gwanwyn.'

Nid oedd argoel fod neb o'm cyd-deithwyr yn poeni'r un ffeuen am aros misoedd yn Pau, ond yr oeddwn i yn hynod o anniddig. Byddai'n rhaid imi rywbryd fynd ar fy hynt naill ai i Rufain neu Avignon. Bod o fewn cyrraedd i'r dinasoedd hynny, nid pererindota i Santiago de Compostela, oedd fy mwriad yn dod i Ffrainc. Cwmni a diogelwch imi oedd mintai'r pererinion, ond yr oeddwn i eisoes wedi teithio lawer yn rhy bell i'r gorllewin. I ba un bynnag o'r ddwy ddinas y byddai'n rhaid imi fynd, yr oeddwn yn awr ar ochr anghywir y wlad. Yr aflwydd oedd na wyddwn i ddim byth pa bab yr oedd Lloegr yn ei gefnogi. Yr oedd hi'n hysbys erbyn hyn fod Ffrainc, fel y disgwyliwn, yn cefnogi Pab Avignon. Byddai'n naturiol, felly, i'm tyb i, mai Pab Rhufain fyddai dewis Lloegr. Serch hynny, doedd yna ddim sicrwydd. Gallai'r Senedd yn Llundain wneud penderfyniadau ar y seiliau gwleidyddol mwyaf od, a phwy a wyddai a oedd hi wedi dod i benderfyniad o gwbl? Yn y cyfamser, allwn i wneud dim gwell na glynu yng nghwmni'r pererinion yn Pau, ond yr oedd pob cam a gymerwn i'r gorllewin o'r ddinas honno yn mynd i'm harwain ymhellach ac ymhellach o Rufain ac Avignon fel ei gilydd.

Gaston a ddaeth â'r newyddion o'r diwedd. Yr oedd ef yn adnabod Pau yn dda, ac yn gyfarwydd â rhai o weision ei arwr, y tywysog lleol, Gaston Fébus, a oedd yn adeiladu castell ardderchog iddo'i hun yn y ddinas. Un gyda'r nos, cyfarfu â chwmni ohonynt mewn gwledd a drefnasai'r tywysog i'w ddeiliaid yng ngerddi'r castell. Bu'n sgwrsio â hwy, ac yn rhoi'r byd yn ei le, a chafodd wybod ganddynt i Senedd Lloegr benderfynu o blaid Rhufain.

'Mi fydd yn rhaid imi fynd yno, Gaston,' meddwn.

'Ond beth am Santiago?' holodd yntau'n hurt.

'Yr ydw i dan orchymyn i fynd i weld y Pab, Gaston – y pab y mae Lloegr yn ei gefnogi. Doeddwn i ddim ond yn teithio am Santiago nes cael gwybod pa bab oedd hwnnw. Ac yn awr fy mod i'n gwybod, mae'n rhaid imi wneud fy ffordd ato, a gorau po gyntaf.'

'Mi allet ti gael llong o Bayonne, am wn i,' ebe Gaston, 'a dydi Bayonne ddim ymhell. Ond Duw a ŵyr pryd, ac y mae'r daith i lawr heibio arfordir Sbaen yn arw iawn, medden nhw, ac fe fyddai'r Môr Canoldir yn dy wynebu di wedyn. Y ffordd orau fyddai croesi Ffrainc i rywle fel Antibes ar yr ochr ddwyreiniol, a chael llong oddi yno yn syth i'r Eidal.'

'Faint o siwrnai ydi honno, Gaston?'

'Ar draws Ffrainc? Tair wythnos? Pythefnos o leiaf, a newid ceffylau'n aml. Mi ddof i efo chdi, wrth gwrs, cyn belled ag Antibes.'

Ac felly y bu. Ffarweliodd y ddau ohonom â'r fintai fechan o bererinion yn Pau, ac yn gynnar fore trannoeth, dyma gychwyn ar ein carlam ar draws de Ffrainc, gan deithio rhyw ugain milltir bob dydd, drwy Tarbes a Saint Girons, Carcasonne, Béziers a Montpellier, ymlaen i Arles ac Aix en Provence, a chyrraedd porthladd bychan Antibes â phob gewyn yn gwynio wedi'r hir farchogaeth. Yno cawsom ar ddeall y byddai llong nwyddau yn gadael am borthladd Ostia yn yr Eidal ymhen tridiau.

V

Y mae argoel o wanwyn yn y tir o'r diwedd. Pan dynnodd Ieuan Offeiriad y llenni trymion oddi ar ffenestri fy ystafell y bore yma, rhuthrodd yr heulwen i mewn i'm cyfarch, fel plentyn a fu ar goll yn cyfarch ei rieni. Yr oedd côr yr adar i'w glywed yn y deri, a gallwn synhwyro fod blagur ar y coed a chynnwrf egino yng ngerddi'r clas.

‘Mae yna newyddion drwg o Rufain, f’arglwydd esgob. Mae’r Pab wedi’i daro’n wael.’

‘Y Pab? Mae’r Pab yn ieuangach na mi, Ieuan. Saith mlynedd yn ieuangach na mi, a dweud y gwir. Fydd o ddim yn hanner cant oed tan y flwyddyn nesaf. Beth sy’n bod arno?’

‘Mae o’n clafychu’n ddifrifol, f’arglwydd esgob. Yn ôl pob sôn, mae o wedi bod yn poeni llawer na fedrai o ddim cyfannu’r rhwyg efo Avignon. Does yna fawr o obaith amdano, medden nhw.’

Ac y mae’r Pab Boniffas, fel minnau, ar ei wely cystudd? Boniffas druan. Fe ddaeth yn bab yn yr un flwyddyn ag y deuthum innau’n esgob.

Dyn lluddedig iawn oeddwn yn troedio’r pedair milltir ar ddeg ar hyd y Via Ostiensis a’i chwareli marmor enfawr i gyfeiriad Rhufain, a phan ddaeth tyrau gwych y ddinas i’r golwg, mae arna i ofn mai sylw bach a wneuthum ohonynt. Yr oedd y dyddiau o farchogaeth ar draws de Ffrainc, a’r nosweithiau di-gwsg wedyn yn cael fy nhaflu o don i don yng nghrombil y llong fechan o Antibes, wedi gadael eu hôl arnaf, a bu’n rhaid imi dreulio wythnos gron mewn llety ar gyrion y ddinas yn gorffwyso ac adennill fy nerth. Roedd hi’n nesáu at ŵyl y Nadolig, a Rhufain yn llenwi gan bererinion. Suddai fy nghalon wrth feddwl bod llaweroedd ohonynt, fel minnau, yn gobeithio cael cip ar y Pab newydd, Urban VI. Sut ar wyneb y ddaear yr oeddwn yn mynd i lwyddo i’m cael fy hun i’w ŵydd? Ac yn fwy na hynny, beth oeddwn i’n mynd i’w ddweud wrtho pe bawn i’n llwyddo? Doedd gen i ddim neges yn y byd, ond mai fi oedd Siôn Trefnant, a bod Archesgob Caergaint wedi gorchymyn imi fy nghyflwyno fy hun i'r Pab. Doedd dim ond gobeithio fod yr hen Sudbury wedi cadw at ei addewid i anfon neges i'm cymeradwyo ymlaen llaw.

Y cam cyntaf oedd chwilio am y Schola Saxonum, yr hosbis a godwyd, yn ôl pob sôn, gan Alfred Fawr, ar gyfer pererinion o Loegr, a deuthum o hyd iddi'n weddol ddidrafferth ar gyrion basilica Pedr Sant. Adeilad deulawr nid annhebyg i gadeirlan fechan ydoedd, gydag eglwys sylweddol o faint, a elwid yn 'gapel', yn ei ganol, a neuadd fwyta ar y naill ochr iddi, a llyfrgell a swyddfeydd ar yr ochr arall. Ar y llawr uchaf, yr oedd ystafelloedd y clerigwyr o Saeson a oedd yn gwasanaethu yno, ynghyd â dorturau'r pererinion, a oedd yn llawn i'r ymylon dros yr ŵyl.

'Siôn Trefnant,' cyflwynais fy hun, mor bwrpasol ag y gallwn, i un o'r clerigwyr. 'Yma ar orchymyn Archesgob Caergaint i weld y Pab.'

'Weli di mono fo yn y fan yma,' ebe'r clerigwr yn sych.

'Mi wn i hynny. Ond roeddwn i'n gobeithio y medrech chi roi cyfarwyddyd imi ynglŷn â sut i drefnu.'

'Cymro wyt ti, ar dy acen.'

'Beth sydd a wnelo hynny â dim? Y ffaith amdani ydi fy mod i yma ar orchymyn Archesgob Caergaint . . .'

'I weld y Pab. Ie, mi glywais. Mi fydd yn rhaid iti weld y rheithor.'

'Y rheithor?'

'Pennaeth y lle yma.'

'A phryd y caf i weld hwnnw? Fory? Drennydd?'

'Mi fydd yn gweinyddu'r offeren yma fore Nadolig. Y drydedd offeren, am chwech o'r gloch.'

'Fore Nadolig! Ond mae dros wythnos o amser tan hynny.'

'Weli di mono fo ddim cynt. Mae o i ffwrdd ar fusnes.'

Yn blygeiniol fore dydd Nadolig, felly, dyma fi'n ymlwybro unwaith eto i eglwys y Schola Saxonum, ac yn sefyll yn y gynulleidfa i wrando'r offeren. Gŵr ifanc, moel, tua'r un oed â minnau, tywyll a thenau, oedd y rheithor. Wrth iddo roi'r afrlladen yn fy nwylo, a llefaru'r geiriau cyfarwydd, '*Corpus Domini nostri Iesu Christi custodiat animam tuam in vitam aeternam*', fe'i gwelwn yn syllu arnaf fel pe bai mewn peth benbleth. Ar ôl y gwasanaeth, euthum i chwilio amdano, a'i gael yn cerdded yn fân ac yn fuan i gyfeiriad y neuadd fwyta.

'Reithor,' meddwn, 'fyddai hi'n bosibl imi gael dy gyngor di, os gweli di'n dda?'

Safodd y rheithor, gan ddal i edrych arnaf o hyd gyda'r olwg ymholgar ar ei wyneb.

'Pwy wyt ti?'

'Siôn Trefnant, reithor. Doethur yn y Gyfraith o Rydychen. Yma i weld y Pab ar orchymyn Archesgob Caergaint.'

Daeth gwên lydan dros wyneb y rheithor, ac er peth syndod imi, agorodd ei freichiau i'm cofleidio.

'Wrth gwrs,' meddai. 'Croeso i'n plith, Siôn Trefnant. Mae gen i lythyr yn dy gyflwyno di oddi wrth yr archesgob, a rhyw ddogfen dan sêl ynglŷn â thi imi ei rhoi i'r Pab pan gyrhaeddit ti. Mi gymerith hi beth amser i drefnu cyfarfyddiad â'r Pab, ond mi af i â thi i'w weld o o bell y bore yma, pan fydd o'n bendithio'r pererinion. Ac y mae yna groeso iti i ymuno â ni yn y Schola i ginio heno, os dymuni di.'

O hirbell, felly, y cefais i fy nghipolwg cyntaf ar y Pab Urban, clamp o ddyn coch ei wyneb a bydol-ddoeth yr olwg arno, yn cael ei gludo gan chwe dyn mewn cadair addurnedig o gwmpas sgwâr Pedr Sant, ac yn gwneud arwydd y groes uwchben y tyrfaoedd llawen, a oedd yn bloeddio'u cymeradwyaeth iddo yn orawenus. Gyda'r nos, cafwyd gwledd yn y neuadd fwyta eang yn y Schola. Yr oedd yno gawl llysiau a bara, a madarch a chnau wedi'u rhostio mewn garlleg, ac eog wedi'i gochi, a charw rhost cyfan, a phasteiod grugieir a phasteiod cig eidion, a chig gŵydd a hwyaden, a sawsiau a hufen, a phwdin eirin a theisennau, a ffrwythau a melysion, a sawl math o win; a chôr o fechgyn yn canu carolau yn yr oriel fechan uwchben, am yn ail â chwmni o offerynwyr yn canu alawon bywiog.

Er cystal y wledd a'r gyfeillach, fodd bynnag, yr oedd yna un cwestiwn yn llosgi yng nghefn fy meddwl, ac o'r diwedd, o rywle yn y gwydreidiau gwin, fe ddaeth y gwrhydri i'w ofyn:

'Dywed i mi, reithor, beth oedd gan yr archesgob i'w ddweud yn y llythyr oedd yn fy nghyflwyno i? Doedd o ddim yn sôn am . . .'

Bu bron imi â dweud 'am fy nghefnogaeth i Wycliffe', ond mi gefais ras o rywle i ymatal.

'Amdanat ti'n achub y mynach meddw?' holodd y rheithor yn gellweirus, gan suddo gwydraid o win ar ei dalcen.

'Y mynach meddw?'

'Yn nhafarn yr Ysgub.'

Cofiais yn sydyn am gampau'r Brawd Madog yn Rhydychen gynt, a gwridais at fy nghlustiau.

'Sut gwyddost ti am hynny?'

'Yr oeddwn i yno, Siôn,' gwenodd y rheithor, 'yn un o'r myfyrwyr. A fi ddylai wrido, nid chdi. Petaet ti heb ymyrryd pan wnest ti, mi fuasem ni wedi hanner lladd y mynach yna. Ond na, na. Paid â phryderu dim. Yr unig beth y mae'r archesgob yn ei ddweud ydi ei fod o'n dy gymeradwyo di am swydd yn y Curia.'

Swydd yn y Curia? Yr oedd hyn yn gwbl newydd i mi. A dyna fwriad yr hen Sudbury! Nid penyd, wedi'r cyfan, yn gymaint â chyfle newydd! Wrth imi suddo i'r gwely glân yn ystafell y prif westai yn y Schola Saxonum y nos Nadolig honno, yr oeddwn yn lled synhwyro y byddwn yn mwynhau Rhufain.

* * *

Ymhen rhai dyddiau, fe drefnodd y rheithor imi gael mynd i weld un o benaethiaid y Curia.

'Y Cardinal Pietro Tomacelli,' meddai. 'Os medr rhywun dy gael di at y Pab, Cardinal Pietro ydi hwnnw.'

Dychmygwn y cardinal dylanwadol hwn yn henwr penwyn, a chryn syndod imi oedd darganfod nad ydoedd mewn difrif yn fawr mwy na llanc, a llanc golygus at hynny, a'i ddau lygad tywyll yn pefrio'n dreiddgar uwch trwyn bwaog.

'Croeso, Siôn Trefnant,' cyfarchodd fi, gan fy nghofleidio'n ffurfiol. 'Ac rwyt ti'n chwilio am waith efo ni?'

'Rydw i dan orchymyn Archesgob Caergaint i'm cyflwyno fy hun i'r Pab,' esboniais innau.

Gwnaeth y cardinal ystum ddiamynedd â'i law.

'Fydd dim angen am hynny,' meddai. 'Mae'r

archesgob eisoes wedi dy gyflwyno di i'r Pab mewn llythyr, ac mae'r Pab wedi gofyn i mi ymdrin â chdi. Oes yna waith iti yn y Curia? Yr ateb ydi, oes. Pa mor gyfarwydd wyt ti efo Syr Edmwnd Mortimer?'

Suddodd fy nghalon i'm sodlau.

'Ddim yn gyfarwydd o gwbl, Eich Gras.'

'Ond mae llythyr yr archesgob yn dweud mai Syr Edmwnd oedd dy noddwr di yn Rhydychen.'

'Mae hynny'n wir, Eich Gras. Ond wnes i erioed gyfarfod ag o.'

'Mi welaf. Nid bod y peth o anfeidrol bwys, ond mi fyddai cael rhywun yn y Curia a oedd mewn cysylltiad â'r Mortimeriaid yn fuddiol. Mae'n rhaid inni gadw llygad, Siôn.'

'Cadw llygad ar beth?'

'Mi fydd y rhan fwyaf o ddigon o dy waith di yn ymwneud â materion bob dydd – cysylltiadau beunyddiol y Pab â'r esgobion yn Lloegr. Ond mi fydd angen iti gadw llygad a chlust yn agored. Y brenin ifanc yma, Rhisiart II. Pa mor ddiogel ydi o ar yr orsedd? Beth am ei ewythrod, Siôn o Gawnt a Thomas o Gaerloyw? Ydyn nhw'n deyrngar iddo? Ydi Siôn o Gawnt â'i fryd ar wneud ei fab, Harri Bolingbroke, yn frenin? A beth wedyn am Rhosier Mortimer, mab Philippa, nith Siôn o Gawnt? Rydw i'n deall fod yna gefnogaeth fawr i Rosier yng Nghymru yn dilyn llofruddio Owain ap Tomas yn Ffrainc rai misoedd yn ôl. Ydi hynny'n wir?'

Edrychai'r cardinal arnaf yn ddisgwylgar, a sylweddolais fod disgwyl imi ateb.

'Dydw i ddim wedi bod yng Nghymru ers blynyddoedd lawer, Eich Gras. Ond synnwn i damaid nad yw'n wir. Roedd y Cymry'n disgwyl i

Owain ap Tomas hawlio'r dywysogaeth. Ar ôl ei farw, byddent yn chwilio am Fab Darogan arall, a byddai Rhosier Mortimer yn fwy nag addas, am ei fod yn disgyn o linach tywysogion Gwynedd, a bod gobaith iddo wisgo nid yn unig goron Tywysog Cymru, ond hefyd goron Lloegr ei hun, fel y gwnâi hen hen deidiau'r tywysogion.'

'Y cwestiwn pwysig i ni ydi hwn: pe bai Rhosier Mortimer yn esgyn i'r orsedd, a fyddai o'n para'n deyrngar i Bab Rhufain? Ac a fyddai o'n barod i dalu trethi i Bab Rhufain? Yr un ydi'r cwestiwn ynglŷn â Harri Bolingbroke. Mae ei dad, Siôn o Gawnt, yn gefnogol iawn i'r dyn Wycliffe yna, yn ôl y wybodaeth sydd gen i. Ac y mae angen cadw llygad barcud ar hwnnw, Siôn. Wyt ti'n gyfarwydd ag o?'

Bu bron imi â neidio o'm cadair pan glywais y cwestiwn hwn. Ond, o leiaf, fe'm cysurais fy hun, yr oedd yn awgrymu nad oedd Sudbury wedi sôn yn ei lythyr am fy nheyrngarwch i Wycliffe. Neu, wrth gwrs, fod y cardinal yn gwybod yn iawn am y teyrngarwch hwnnw, ac yn chwarae â mi.

'Mi fûm yn mynychu ei ddarlithoedd o yn Rhydychen,' meddwn yn ochelgar. 'Roedden nhw'n boblogaidd iawn.'

Y munud hwnnw, cofiais am eiriau Sudbury wrthyf rai misoedd yn ôl, ac er peth braw a siom i mi fy hun, dyma fi'n ychwanegu:

'Dydi beth y mae Wycliffe yn ei ddweud, wrth gwrs, nac yma nac acw, dim ond i'r graddau y mae'n effeithio ar ymwneud Lloegr â'r babaeth.'

'Yn hollol,' ebe'r cardinal. 'Ond chawn ni mo Loegr i drefn tra bo Wycliffe yn cynhyrfu'r dyfroedd. Fe fydd yn rhaid i Gaergaint ei ddistewi o rywsut neu'i gilydd. Yn y cyfamser, Siôn, mi gei di weithio yn fy adran i yn y Curia, gyda chyfrifoldeb arbennig am y sefyllfa yn Lloegr. Mi gei di'r awdurdod i ddelio â materion beunyddiol dy hun, ond mi fydda i'n disgwyl iti ddod ag unrhyw bethau o wir bwys i'm sylw i.'

* * *

Ddechrau'r flwyddyn 1379, felly, dyma fi'n dechrau ar fy ngwaith yn y Sacra Rota, adran gyfraith y Curia. Rhoddwyd imi ddwy ystafell hirgul, isel eu nenfwd, ar lawr cyntaf yr adeilad lle y gweithiwn, a rhyddid i segura yn yr ardd ddymunol yn ei gwadrangl, gyda'i lawnt fwsoglyd a'i choed afalau ac orenau a gellyg, ei sbloet o flodau ym misoedd yr haf, a'r gwinwydd yn dringo hyd y pedair wal o'i chwmpas. Yr oedd yno bysgodlyn bychan hefyd, a sawl deildy cysgodol yn y coed, gyda meinciau y gellid eistedd arnynt i ddarllen pan fyddai gwres y dydd yn ormesol. Bob rhyw fis, fe gyrhaeaddai tomen o lythyrau o Loegr, trwy law negesydd, a fyddai'n eu casglu o Gaergaint ac yn eu cludo ar y siwrnai faith i Rufain. Byddai wedyn yn aros nes byddai pob un llythyr wedi ei ateb gennym ni, cyn cludo'r baich o atebion yn ôl i Loegr. Yn y cyfamser, byddai negesydd arall wedi cyrraedd gydag ychwaneg o ohebiaeth.

Gwaith digon diflas ac undonog, at ei gilydd, oedd darllen drwy'r llythyrau hyn a'u hateb. Achwynion gan esgobion oedd y mwyafrif ohonynt, ynglŷn â manion bethau yn eu hesgobaethau. Cwynai un esgob un tro i'w ragflaenydd roi incwm prebend arbennig yn yr esgobaeth i'r deon, am fod y deon yn dlawd. Yr oedd tŷ hefyd yn perthyn i'r prebend, a hwnnw yn ymyl y gadeirlan, a rhoddwyd y tŷ hwn hefyd at wasanaeth y deon, gan ei bod hi'n gwbl anhepgor fod y deon, o bawb, yn byw o fewn cyrraedd i'r brifeglwys.

Dadleuai'r esgob newydd nad oedd hawl gan ei ragflaenydd i roi incwm un swydd yn yr esgobaeth i ariannu swydd arall. Yn sicr, mynnai, nid oedd hawl ganddo i glymu dwylo'i olynydd yn y mater. Yr oedd ef am wahanu'r ddwy swydd, a rhoi'r incwm a'r tŷ dan sylw at wasanaeth yr archddiacon, ond yr oedd y deon, fel y gellid disgwyl, yn gwrthwynebu, a hynny gyda chefnogaeth canoniaid y gadeirlan. Yr oedd yr esgob, felly, yn apelio am benderfyniad y Pab. Wedi ymgynghori â'r gyfraith, argymhellais innau fod yr esgob yn iawn. Perthynai incwm prebend i'r prebendari, ac nid i neb arall. Gallai archddiacon fod yn brebendari, ond nid deon. Yr oedd y Pab, felly, yn gorchymyn fod y deon i golli'r incwm a'r tŷ a oedd ynglŷn â'r prebend, ond yn gorchymyn hefyd fod y canoniaid i ddod o hyd i ffordd o'i ddigolledu am yr incwm a gollai, ac i ddarparu tŷ arall addas ar ei gyfer.

Dro arall, cwynai Esgob Caerlwytgoed fod gŵr o'i esgobaeth ef wedi benthyca dau lyfr i offeiriad yn esgobaeth Caerfaddon. Yn fuan wedyn, bu farw'r gŵr. Ar sail y ddadl fod ei ystad bellach wedi ei rhannu rhwng dwy esgobaeth, penderfynodd swyddog ar ran Archesgob Caergaint y byddai'n rhaid profi ewyllys y gŵr yn Llys yr Archesgob, yn hytrach nag yn Llys Esgob Caerlwytgoed. Nid felly, maentumiai'r esgob. Nid oedd dau lyfr ar fenthyg mewn esgobaeth arall yn golygu fod yr ystad wedi ei rhannu, ac yr oedd gan ei lys ef yng Nghaerlwytgoed berffaith hawl i brofi'r ewyllys. Deuthum innau i'r penderfyniad fod yr esgob yn iawn, a gorchymyn fod y Pab, yn yr achos hwn, yn dedfrydu yn erbyn Caergaint.

Ar y dechrau, byddai'r Cardinal Pietro yn dilysu fy mhenderfyniadau cyn eu hanfon at y Pab i'w harwyddo. Weithiau, byddai'n fy ngalw i mewn ato i drafod rhyw fanylyn neu'i gilydd, ac yn nhreigl y blynyddoedd, daeth y ddau ohonom yn gyfeillion da.

'Sut wyt ti'n d'ariannu dy hun yma, Siôn?' gofynnodd imi ryw ddydd.

'Dwy segurswydd,' meddwn innau, 'yn Swydd Gaerloyw.'

'Pwy roddodd nhw iti?'

'Rhodd Prifysgol Rhydychen oedden nhw yn y lle cyntaf, ond fe ganiataodd Archesgob Caergaint imi eu cadw nhw.'

'Un o esgobaeth Llanelwy wyt ti, yntê? Sut hoffet ti segurswydd neu ddwy yn dy hen ardal?'

'Yn ychwanegol at y ddwy sydd gen i?'

'Pam lai? Mae yna blwyf gwag ym Meifod, a chapel anwes heb fod ymhell oddi yno yn rhywle o'r enw y Trallwng. Wyddost ti am y lle?'

'Mae gen i syniad.'

'Iawn ynteu. Rhodd y Pab ydi plwyf Meifod. Dyma chdi o heddiw ymlaen yn beriglor Meifod a'r Trallwng. Ac mi gwnawn ni di hefyd yn un o ganoniaid mygedol cadeirlan Llanelwy, er nad oes yna ddim incwm yn mynd efo'r swydd honno.'

* * *

Ddwy flynedd, fwy neu lai, wedi imi gychwyn yn y Sacra Rota, yr oeddwn yn gweithio yn fy swyddfa fechan, a oedd yn edrych allan dros sgwâr eang Pedr Sant, pan dynnwyd fy sylw gan farchog yn carlamu ar ffrwst i'r sgwâr. Yr oedd golwg gyffrous arno, a'r chwys yn codi fel tarth oddi arno ef a'i geffyl wrth iddo ddisgyn ar frys a phrysuro ar redeg tuag at yr adeilad lle'r oeddwn i, a rhyw ysgrepan yn dynn dan ei gesail. Rai munudau'n ddiweddarach, clywais sŵn traed yn cerdded yn fuan heibio i ddrws fy ystafell, a lleisiau uchel yn trafod yn gynhyrfus â'i gilydd. Ymhen rhyw awr wedyn, fe'm gwysiwyd i ystafell y cardinal.

'Siôn,' ebe Pietro, 'rydw i newydd dderbyn newyddion difrifol iawn oddi wrth William Courtenay, Esgob Llundain. Mae Lloegr yn wenfflam. Mae'r taeogion wedi codi yn erbyn y Senedd, ac wedi goresgyn dinas Llundain mewn protest yn erbyn y trethi a'r rhyfel efo Ffrainc. Fe lwyddodd y brenin a rhai o'r gwŷr llys i ddianc, ond fe ddaliwyd y Trysorydd, Syr Robert Hales, yn y Tŵr, a'i ddienyddio yn y fan. Yn y Tŵr hefyd yr oedd Harri Bolingbroke, cefnder y brenin, ond fe arbedwyd ei fywyd ef. Mae William Courtenay yn debygol o ddod yn Archesgob Caergaint.'

'Pam?' gofynnais. 'Beth sydd wedi digwydd i Sudbury?'

'Yr oedd Sudbury yntau yn y Tŵr, Siôn, ac fe'i daliwyd o gan y dorf. Mae'n ddrwg gen i, ond . . .'

Fe'm trawyd yn fud. Sudbury. Y prelad Simon Sudbury, Archesgob Caergaint, wedi dod i ben ei ddaearol rawd mewn modd mor ddisymwth a swta. Yr hen Sudbury, o bawb. Y gŵr a wnaeth imi adael fy myd braf yn Rhydychen, a'm gyrru mewn arswyd ar fy nhaith ddi-alw-amdani i dde orllewin Ffrainc. Y gŵr a fynnai imi wadu fy nghred a mygu fy nghydwybod. Ond y gŵr hefyd a welodd ynof ddeunydd swyddog yn y Curia, ac a hwylusodd fy ffordd i'r swydd honno. Doedd yr hen gerlyn, er ei waethed, ddim yn haeddu marw fel hyn.

Yr oedd Pietro yn dal i siarad.

'Y peth pwysig o'n safbwynt ni,' meddai, 'ydi bod un o'r gwrthryfelwyr wedi datgan ar goedd iddo fo ddysgu ei syniadau gwrthryfelgar oddi wrth John Wycliffe. Y mae'n rheidrwydd arnom bellach, felly, i ddistewi Wycliffe. Mae o'n dadsefydlogi teyrnas Loegr a'i heglwys. Cyn gynted ag y bydd y Pab wedi cadarnhau penodiad William Courtenay i Gaergaint, mi fydd yn rhaid i Courtenay symud. Mi fydda i'n ei orchymyn o i alw Confocasiwn o Brifysgol Rhydychen i orfodi dilynwyr Wycliffe i ildio.'

Llanwodd fy nghalon ag ofn am dynged fy hen athro.

'Beth am Wycliffe ei hun?' gofynnais. 'Does yna ddim cynlluniau i'w . . .'

'Peth ffôl iawn, mewn amgylchiadau fel hyn, fyddai gwneud merthyr ohono. Mae Wycliffe mewn tipyn o oed. Y peth gorau fyddai caniatáu iddo ymneilltuo'n dawel i'w blwyf yn Lutterworth. Mi wneith lai o ddifrod yn y fan honno.'

Cododd Pietro fwndel o femrynau oddi ar y bwrdd o'i flaen, a tharo cipolwg brysiog ar un ohonynt.

'Un llygedyn o olau sydd yn hyn i gyd,' meddai. 'Mae'n debyg i'r brenin Rhisiart, sy'n bedair ar ddeg oed erbyn hyn, wynebu'r gwrthryfelwyr, pan oedd pethau wedi llonyddu tipyn, a'u herio i'w dderbyn ef yn arweinydd arnynt. Clyfar iawn. A dewr hefyd. A'r canlyniad ydi ei fod o'n graddol dynhau ei afael ar yr orsedd. Mae hynny'n beth da.'

* * *

Dros y blynyddoedd nesaf, hynt a helynt Rhisiart II oedd i'w clywed ym mhob sgwrs ac i'w darllen ym mhob dogfen. Rhisiart yn llywyddu dros lys dysgedig a diwylliedig, ond yn gwario'n afradlon ac yn suddo i ffitiau o dymer ddrwg. Ei ewythr, Thomas o Gaerloyw, yn ceisio cael y Senedd i'w ddiorseddu, ac yn dienyddio neu alltudio nifer o'i gefnogwyr. Yr ewythr arall, Siôn o Gawnt, yn hela coronau a chestyll yn Sbaen, heb ymddiddori dim, yn ôl y sôn, yn ei nai, ac yn cefnogi'r Lolardiaid, dilynwyr Wycliffe. Priodas Rhisiart ag Ann, tywysoges Bohemia. Eiddigedd Rhisiart o Harri Bolingbroke. Rhisiart yn enwi Rhosier Mortimer, y bu ei dad, Syr Edmwnd, farw ym mlwyddyn y gwrthryfel, yn etifedd iddo, ac yn ei urddo'n farchog. Rhisiart fel hyn, a Rhisiart fel arall.

Yn y cyfamser yr oeddwn innau'n palu ymlaen gyda chwynion oddi wrth esgobion Lloegr, a chwynion yn eu herbyn. Bu canoniaid Lincoln un tro yn ddig iawn â'u hesgob. Yr oedd ynglŷn â'r gadeirlan yn Lincoln nifer o dai, a fuasai ar un cyfnod yn dai preswyl i'w chanoniaid. Gan nad oedd llawer o'r canoniaid bellach yn dewis byw gerllaw'r gadeirlan, yr oedd yr esgob ers blynyddoedd wedi bod yn rhentu'r tai hyn i leygwyr, gan ddefnyddio'r rhent at atgyweirio'r gadeirlan.

Ymddiriedolwr ar ran y deon a'r siapter oedd yr esgob, wrth gwrs, ond gyda threigl amser yr oedd y cyfreithwyr wedi anghofio hynny, ac yn ystyried mai ef oedd perchennog y tai. Pan symudodd y tenant allan o un ohonynt, fe'i gwerthodd yr esgob ef, a phocedu'r arian, heb gysylltu dim â'r deon a'r siapter, a bu'n rhaid iddynt brynu'r tŷ yn ôl am bris afresymol o uchel. Yn yr achos hwn, gorchmynnais fod yr esgob i dalu'n ôl i'r deon a'r siapter y pris a dalasant hwy am y tŷ. Ar sail rhai cannoedd o benderfyniadau tebyg i hyn dros y blynyddoedd, fe'm dyrchafwyd gan y Pab yn Brif Archwilydd iddo; ac, o ystyried fy holl brysurdeb yn ystod y cyfnod hwn, nid yw'n rhyfedd na bu'r newydd am y modd y chwalodd William Courtenay Lolardiaid Rhydychen, na hyd yn oed am farwolaeth Wycliffe yn Lutterworth ryw ddwy flynedd yn ddiweddarach, yn ergyd mor drom imi ag yr oeddwn wedi ei hofni.

Ymhlith y dogfennau a ddeuai i'm sylw, yr oedd un math na chawn ar unrhyw gyfrif wneud penderfyniad arno, sef deisebau gan wŷr a gawsai eu hethol yn esgobion am sêl bendith y Pab ar eu hetholiad. Byddai'r rheini'n mynd yn syth at Urban ei hun trwy law'r Cardinal Pietro. Un bore poeth o haf, yr oeddwn yn eistedd ar fainc yn un o'r deildai yn yr ardd yn didoli pentwr o ddogfennau, pan ddeuthum ar draws un o'r deisebau hyn. Cyflymodd fy nghalon wrth imi ddarllen:

'Siôn Trefor, Meistr yn y Celfyddydau, Doethur yn y Gyfraith, Pencantor Cadeirlan Wells yn Archesgobaeth Caergaint, at y Sancteiddiaf Dad yn Nuw, Urban VI, Ficer Crist ar y ddaear ac Esgob Rhufain, Cyfarchion. Yn gymaint ag i mi, Siôn

Trefor, gael fy ethol mewn cynulliad rheolaidd o Siapter Eglwys Gadeiriol Llanelwy yn Archesgobaeth Caergaint yn Lloegr yn Esgob Llanelwy, i ddal holl urddas a breintiau a dyletswyddau'r swydd honno, ei thiroedd a'i hadeiladau a'i hincwm, ac yn gymaint â'i bod yn ddymuniad gan Ddeon a Siapter y ddywededig Eglwys Gadeiriol yn Llanelwy ar i'w hesgob etholedig gael ei sefydlu a'i orseddu rhag blaen, yr wyf fi, Siôn Trefor, yn eich deisebu chwi, y Sancteiddiaf Dad yn Nuw, Urban VI, yn ostyngedig, gan ofyn ac erfyn ar i chwi gadarnhau'r etholiad, a'm cysegru'n esgob, a pheri i'r penodiad ddod i rym. Arwyddwyd a seliwyd dan fy llaw. Dygwyl Barnabas 1389.'

Yr oedd yno hefyd ail ddogfen yn rhoi i Siôn Trefor ganiatâd y brenin i ofyn am gadarnhau'r penodiad, ond yn nodi mai enwebiad y brenin ei hun oedd Alexander Bache, ei gyffeswr personol.

Llifodd rhyw foroedd o lawenydd drosof, ond moroedd oeddynt ag ambell don o eiddigedd yn chwarae ynddynt hefyd. Yr oedd fy hen gyfaill, Siôn Trefor, wedi'i ethol yn Esgob Llanelwy, esgobaeth ei blentyndod ef a minnau, ac esgobaeth lle y daliwn i blwyf segurswydd a chanoniaeth. Pwy'n well na Siôn Trefor? Ond pwy ond Siôn Trefor a fyddai wedi llwyddo i gynllwynio'i ffordd i'r brig? Siôn Trefor gyfrwys, ofalus, a fedrai rydio afon gwleidyddiaeth yr Eglwys heb lithro o'i droed ar garreg.

Rhuthrais yn llawn cynnwrf o'r ardd i chwilio am y Cardinal Pietro.

'Mae cyfaill imi wedi'i ethol yn Esgob Llanelwy,' meddwn, 'ac yn ceisio sêl bendith y Pab.'

'Os ydi o'n gyfaill iti,' meddai Pietro, 'mi gei di

fynd at y Pab i ddweud gair o'i blaid o. Fel rheol, fi sy'n gwneud y gwaith hwnnw, ond, yn yr achos hwn, yr wyt ti'n amlwg yn gwybod mwy am y sawl a etholwyd na mi.'

Felly y cefais fy hun, ymhen rhai dyddiau, yn sefyll, am y tro cyntaf mewn degawd, o flaen y Pab yn ei ystafell bersonol ef yn y Fatican. Roedd hi'n ystafell foethus, ei llawr o farmor patrymog, lliw gwin ac emrallt, a'i muriau o farmor claerwyn, ac arnynt ddarluniau enfawr, fel pe bai dyn yn edrych allan drwy ffenestri eang ar olygfeydd mewn rhyw fyd paradwysaidd y tu hwnt i'r byd hwn. Roedd y ffenestr ei hun yn agor ar ardd ddisgybledig, y gallwn, o'r lle y safwn, weld y gwenyn bodlon yn hedfan yn swrth o flodyn i flodyn ynddi. Gorweddai Urban ar lwth i'r dde o'r ffenestr, a'i ysgrifennydd yn eistedd yn ei ymyl. Yr oedd golwg afiach iawn arno, yn fy marn i, a chwrlid trwm yn gorchuddio'i gorff, er gwaethaf y gwres.

'Beth wyddost ti am y Siôn Trefor yma?' gofynnodd y Pab yn lluddedig.

'Yn fy marn i, Eich Sancteiddrwydd,' atebais, 'fe fyddai'n ddelfrydol ar gyfer esgobaeth Llanelwy. Yn un peth, mae'n frodor o'r esgobaeth.'

'Nid oes anrhydedd i broffwyd yn ei wlad ei hun, Siôn. A geiriau Crist ydi'r rheina, nid fy ngeiriau i.'

'Gyda phob parch, Eich Sancteiddrwydd, does yna'r un Cymro wedi cael ei benodi i esgobaeth yng Nghymru ers y rhawg.'

'A bai pwy ydi hynny? Bai brenin Lloegr. Ein tuedd ni yn y gorffennol fu derbyn yn ddigwestiwn enwebiad y brenin.'

'Ond enwebiad y siapter, Eich Sancteiddrwydd,

yw Siôn Trefor, un sy nid yn unig yn Gymro o waed, ond un sy'n siarad yr iaith Gymraeg yn ogystal.'

'Bid a fo am hynny. Y gwir amdani ydi fod yn rhaid inni fod yn ofalus iawn efo penodiadau yn Lloegr a Chymru. Does dim diben rhoi tanwydd ar ymgyrchoedd y rhai sy'n ein gwrthwynebu ni. Rydw i eisoes wedi penderfynu gwrthod enwebiad Rhisiart i esgobaeth Tyddewi. Fe fyddai'n ffolineb gwrthod ail enwebiad ganddo. Mi gei di ysgrifennu at Siôn Trefor yn dweud wrtho mai Alexander Bache fydd esgob newydd Llanelwy. Ond mi gei di ddweud wrtho hefyd, os ydi o'n chwenychu swydd esgob, y byddai hi o fudd iddo ddod yma i Rufain am ysbaid, i weld sut yr ydym ni'n gweithio yma. Trwy Rufain y mae mynd i Lanelwy, ac i bob esgobaeth arall. Cynigia swydd iddo fo yn y Curia, Siôn.'

Gyda chalon drom yr ysgrifennais at Siôn Trefor. Ar yr un pryd, yr oeddwn yn mawr obeithio y byddai'n derbyn swydd yn y Curia, gan y byddai ei gwmnïaeth yn ddymunol i mi. Tua'r un adeg, bu'n rhaid imi hefyd ysgrifennu at Richard Medford, ysgrifennydd y brenin Rhisiart, yn ei hysbysu fod y Pab yn gwrthod cadarnhau ei etholiad yntau yn Esgob Tyddewi, ac yn bwriadu symud John Gilbert, Esgob Henffordd, i'r esgobaeth frasach honno. Golygai hynny fod esgobaeth Henffordd bellach yn wag.

Ychydig wythnosau yn ddiweddarach, fe ofynnodd Pietro imi ysgrifennu i gynnull y cardinaliaid ynghyd i'r Fatican.

'Pam?' holais. 'Oes yna ryw argyfwng?'

'Sut olwg gefaist ti ar Urban, Siôn?'

'Gwael,' meddwn i. 'Gwael iawn.'

'Mae arna i ofn bod ei feddygon o'n darogan y diwedd. Os digwydd hynny, fe fydd yn rhaid i'r cardinaliaid fod wrth law i ethol olynydd iddo yn ddiymdroi. Fedrwn ni ddim fforddio llaesu dwylo, rhag i Bab Avignon geisio elwa ar hynny.'

* * *

Ar y pymthegfed dydd o Hydref 1389, bu farw'r Pab Urban VI. Drannoeth diwrnod ei angladd, ymgynullodd y cardinaliaid yn goleg ethol. Y drefn ar achlysuron fel hyn oedd iddynt eu cloi eu hunain mewn ystafell yng nghadeirlan Pedr, heb gysylltu â neb y tu allan nes byddent wedi ethol pab newydd. Wedi iddynt wneud hynny, fe gynheuid tân yn yr ystafell, a byddai'r mwg gwyn a godai trwy'r simdde yn arwydd i'r tyrfaoedd heidio i'r sgwâr i weld cyflwyno'r buddugwr. Weithiau, byddai'r cardinaliaid wedi'u cloi yn yr ystafell ethol am ddyddiau bwygilydd. Y tro hwn, fodd bynnag, buont yn hynod o chwim. Yn llawer cynt na'r disgwyl, gwelais o'm hystafell y mwg tew yn troelli tua'r wybren, a rhuthrais allan, gydag ugeiniau o rai eraill, i glywed y newydd.

Ymhen hir a hwyr, dyma'r cardinaliaid allan ar lwyfan o flaen drws y gadeirlan, a golwg urddasol iawn arnynt yn eu gynau sgarlad. Cefais gip ar Pietro, yn sefyll yn ymyl rhyw hynafgwr nad oeddwn yn adnabod mohono yn y rhes flaen. Cododd yr hynafgwr ei law, a chyfarch y dorf:

'*Habemus papam!*'

Cododd bonllef o gymeradwyaeth lawen o blith y bobl. Yna, a minnau'n methu â chredu fy llygaid, gafaelodd yr hynafgwr yn neheulaw Pietro, a'i dywys i flaen y llwyfan.

'Cardinal Pietro Tomacelli,' cyhoeddodd. 'I'w adnabod fel y Pab Boniffas IX.'

Aeth y dyrfa'n orffwyll. Yr oedd yno weiddi croeso a churo dwylo, a thaflu hetiau i'r awyr, a chanu a dawnsio, a chwerthin ac wylo. Yr oedd hi'n amlwg fod y pab ifanc pedair ar ddeg ar hugain oed yn ddewis poblogaidd dros ben. Amdanaf fy hun, yr oeddwn yn llawn, llawn, llawn llawenydd. 'Pietro, Pietro,' siantiais gyda'r dorf, 'Papa, Papa.'

Cododd Pietro ei law, a datgan:

'*Benedictus qui venit in nomine Domini. Deo gratias. Amen.*'

Yna, fe droes ef a'r cardinaliaid, a mynd yn ôl i mewn i'r gadeirlan.

Bûm am ddyddiau yn ceisio cael mynediad i'w ŵydd. Pan gefais ganiatâd o'r diwedd i'w weld, yn un o'r ystafelloedd yn y Fatican a gawsai eu neilltuo ar ei gyfer, euthum yn syth ar fy ngliniau o'i flaen, a chusanu'i law.

'Hir oes i'r Pab Boniffas,' meddwn yn frwdfrydig. 'Doedd gen i ddim math o syniad y byddai hyn yn debygol o ddigwydd.'

'Na minnau chwaith, Siôn,' ebe'r Pab. 'Ond fe ddaeth hi'n amlwg o'r dechrau'n deg nad oedd y cardinaliaid ddim am ethol neb o'r hen do a fu'n gyfrifol am yr hollt efo Avignon. Roedden nhw'n benderfynol hefyd o ethol Eidalwr. Ac roeddwn innau wedi gweithio am dros ddeng mlynedd yn was ffyddlon i Urban. Felly . . .'

'Yr ydw i'n hynod o falch, Eich Sancteidd-rwydd,' meddwn i.

'Ac o sôn am weision ffyddlon,' ebe'r Pab, 'pwy fu fy ngwas ffyddlon i am y deng mlynedd diwethaf yma? Chdi, Siôn. Ac mae'n deg i tithau gael dy dâl. Sut hoffet ti Henffordd?'

'Henffordd?'

'Mae esgobaeth Henffordd yn wag, fel y gwyddost ti. Hoffet ti ei chael hi? Dydi hi ddim yng Nghymru, mae'n wir, ond rydw i'n deall fod y mwyafrif o'i phobl hi yn siarad Cymraeg, a dydi hi ddim ymhell iawn o esgobaeth dy febyd i. Ac y mae rhywbeth yn dweud wrthyf y bydd arna i angen cyfaill da yng ngororau Cymru yn y dyfodol. Beth ddywedi di?'

'Ar bob cyfrif, Eich Sancteiddrwydd, os ydych chi o'r farn fy mod i'n addas.'

'Hir oes i'r Esgob Siôn,' ebe'r Pab dan wenu.

Llemais i lawr y rhes fer o risiau o'r ystafell. Yr oedd yn rhaid imi gael rhannu'r newyddion da â rhywun. Ond yr oedd y sgwâr mawr y tu allan yn wag, ar wahân i un teithiwr unig, a oedd yn amlwg newydd ddisgyn oddi ar ei farch, ac mewn peth penbleth ynglŷn ag i ble i fynd nesaf. Edrychai o'i gwmpas mewn dryswch, a'i gefn llydan ataf, ac yr oedd y cefn yn gyfarwydd rywsut. Yr osgo urddasol, drahaus bron; y symud gosgeiddig, balch; tro ffroenuchel y pen. Siôn Trefor, wrth gwrs, pwy arall?

Dechreuais redeg tuag ato ar draws y sgwâr, gan weiddi:

'Siôn Trefor! Siôn Trefor!'

Troes yntau i'm cyfeiriad.

'Siôn Trefnant, tawn i'n marw,' meddai, wrth imi gyrraedd ato, gan ledu ei freichiau i'm cofleidio. Rydw i wedi dod i gadw cwmni i chdi.'

'Mi wn i, mi wn i,' meddwn. 'Fi anfonodd y llythyr ar ran y Pab yn dy wahodd di yma. Ond y mae gennym ni Bab newydd rŵan. A fydda i ddim yma i gadw cwmni i chdi, Siôn, mae arna i ofn.'

'Pam hynny, neno'r mawredd?'

'Am fy mod i newydd gael fy mhenodi'n esgob, Siôn Trefor. Esgob Henffordd.'

VI

Cefais noson anesmwyth iawn neithiwr. Yr oedd gwynt mawr diwedd Mawrth yn ysgubo dros ddinas Henffordd, ac yn ei ubain fe glywn leisiau'r gorffennol yn utganu yn un côr aflafar yn fy mhen. Yn flaenaf yn eu plith yr oedd lleisiau fy hen athro, Wycliffe, a'm hen gyfaill, Boniffas, yn fy nghyhuddo, eu dau fel ei gilydd, o'u bradychu. Rhyddhad imi oedd gweld y wawr yn araf dorri dros dyrau'r clas, a chael gwrando ar weddïau boreol Ieuan Offeiriad.

'Oes yna byth ddim newydd o Gymru, Ieuan?'

'Nac oes, f'arglwydd esgob. Dim byd.'

'Mae hyn yn anffodus, Ieuan. Fedra i wneud dim nes caf i wybod sut y mae'r gwynt yn chwythu.'

Yr oedd y gwynt yn chwythu'n gynddeiriog pan gyrhaeddais i gyntaf, ar brynhawn tywyll o Ragfyr, yn dilyn fy nghysegru gan Boniffas yn Rhufain, at ddrws mawr, cadarn cadeirlan Henffordd i hawlio fy swydd yn esgob yno. Yr oedd y deon a'r siapter, yn ôl yr arfer, yn gwybod fy mod ar fy ffordd, ac wedi eu cau eu hunain i mewn yn yr eglwys. Disgynnodd fy ngosgordd a minnau oddi ar ein meirch, a churais deirgwaith â'm ffon ar y drws urddasol.

'Pwy sydd yna?' holodd y deon o'r tu mewn.

'Siôn Trefnant,' atebais innau, 'ar wŷs y Pab Boniffas, i gymryd meddiant o'r esgobaeth hon.'

Agorwyd y drws, a chefais fy ngolwg gyntaf, yng ngolau'r ffaglau ar y muriau a'r canhwyllau ar yr allor, ar fy eglwys gadeiriol a'i chlerigwyr. Roedd hi'n eang, wrth gwrs, yn adeilad cadarn o gerrig mawrion, ac iddo loriau llechen a nenfwd da o dderw, a ffenestr liw ardderchog yn y wal ddwyreiniol, ac ambell feddrod addurnedig ar hyd ymylon y gangell. Safai'r deon a'r canoniaid yn un twr wrth y bedyddfaen, a golwg chwilfrydig iawn arnynt. Daeth un ohonynt ymlaen, a phenlinio ger fy mron, a chusanu fy llaw.

'Walter Pride, f'arglwydd esgob. Deon Henffordd.'

O dipyn i beth, fe ddilynodd y canoniaid, a gwneud yr un fath, a bendithiais innau bob un ohonynt yn ei dro. Fe'm gwahoddwyd wedyn i ddathlu fy offeren gyntaf yn fy esgobaeth, ac wedi hynny ymneilltuodd y deon a minnau i dŷ'r deon i fwyta a sgwrsio.

'Roeddwn i'n deall ichi fod ar bererindod i Santiago de Compostela,' ebe'r deon dros y bwrdd llwythog.

'Fûm i ddim cyn belled,' atebais. 'Fe'm galwyd i i Rufain cyn imi fedru cwblhau'r daith.'

'Mi lwyddais i i gyrraedd yno,' atebodd yntau. 'Mae eglwys Santiago yn werth ei gweld. Roeddem ni'n gwmni bychan o bererinion o Loegr, ac yn ein plith wraig a oedd yn pererindota dros ei merch fach, a oedd yn bur wael. Roedd y wraig yn arlunydd da. Pan oeddem ni'n aros ar ein taith ym mhentref Audressin yn ne Ffrainc, fe dynnodd hi lun ar wal cyntedd eglwys Notre-Dame-de-Tramezaygues – pedwar petryal lliwgar, y cyntaf yn darlunio'i merch ar ei gwely cystudd, yr ail yn dangos y fam ar ei phererindod, y trydydd yn llun ohoni yn derbyn bendith gan Esgob Santiago, a'r pedwerydd yn portreadu'r ferch fach yn codi'n holliach o'i gwely. Mae'r llun yno hyd heddiw.'

Yr oedd y deon yn siarad bymtheg yn y dwsin, a thybiwn ei fod yn swil ac anniddig yn fy mhresenoldeb i.

'Fuoch chi yn nyffryn Bethmale?'

'Na fûm i,' atebais.

'Yn nyffryn Bethmale, mae'r brodorion yn gwisgo clocsiau rhyfedd, a phigyn main yn troi i fyny ar eu blaen. Roeddwn i wedi cymryd mai dyfais oedd y pigyn hwn i warchod eu traed ar y ffyrdd caregog, ond nid felly. Yr oedd yn nyffryn Bethmale, flynyddoedd maith yn ôl, glocsiwr ifanc, a oedd mewn cariad â geneth o'r un pentref. Roedd y Mwslemiaid duon o Sbaen wedi croesi'r Pyrenëeau, ac yn gwarchae ar yr ardal, a'u byddin wedi gwersylla yn y mynyddoedd nid nepell; ac fe ddaeth y clocsiwr i wybod fod yr eneth a hoffai yn caru yn ddirgel ag un o filwyr y fyddin hon. Yn ei weithdy fe wnaeth bâr o glocsiau arbennig iddo'i hun, a phigyn main ar flaen pob clocsen, ac i ffwrdd ag ef un noson i'r mynyddoedd. Y bore trannoeth, fe welodd trigolion dyffryn Bethmale o'n dychwelyd adref, ac ar bigyn y naill glocsen a'r llall yr oedd calon waedlyd – calon y ferch, a chalon ei chariad. Dyna pam y mae pobl Bethmale hyd heddiw yn gwisgo clocsiau efo pigau ar eu blaen.'

'Diddorol iawn,' meddwn i, 'ond dydw i ddim wedi dod yma, Ddeon, i ymlid chwedlau. Beth am yr esgobaeth?'

'Mae yna ystafelloedd ichi yma yn y clas, wrth gwrs, f'arglwydd esgob. Ond y mae yna hefyd blasty swyddogol yn Chwitbwrn, y tu hwnt i dref Bromyard.'

'Nid hynny sy'n fy mhoeni i chwaith. Beth am y degymau a'r trethi?'

'Mae yna waith heb ei orffen, f'arglwydd esgob. Dilynwyr Wycliffe.'

Bu bron imi â griddfan yn uchel. Oedd yn rhaid imi gychwyn fy esgobawd drwy ddelio â dilynwyr fy hen athro? Sut y medrwn i, o bawb, sathru ar eu dadleuon? Byddai'n rhaid imi droedio'n ofalus iawn. Roedd erlid y Wycliffiaid yn amhosibl, o safbwynt fy nghydwybod i fy hun, ond byddai rhoi gormod o raff iddynt yn cynddeiriogi Rhufain.

'Oes yna lawer o'r rheini?'

'Maen nhw'n dipyn o bla yn y gorllewin, ar y gororau efo Cymru. Mae yno bregethwr teithiol, offeiriad mewn urddau, gŵr meddylgar wedi darllen yn eang, o'r enw William Swinderby. Mae'n danllyd o frwdfrydig dros yr achos, ac yn efengylu'n egnïol yn nhrefi'r gororau. Fe'i gwysiwyd droeon i ymddangos o flaen yr Esgob Gilbert, eich rhagflaenydd, ond diflannai bob tro i fynyddoedd Cymru, lle y mae ganddo lawer o gyfeillion. Un ohonyn nhw ydi amaethwr cefnog iawn o'r enw

Gwallter Brut. Mae hwnnw hefyd wedi'i wysio i ymddangos yma o flaen yr esgob, ond welwyd dim golwg ohono yntau chwaith. Y drwg ydi bod y ddau hyn yn annog pobl i wrthryfel.'

'Mi fydd yn rhaid eu gwysio nhw eto, Walter, i ymddangos o flaen yr esgob.'

* * *

Fe gymerodd hi bedair blynedd lawn imi dawelu Swinderby a Brut. Drwg Swinderby oedd ei fod yn gwrthod yn lân ag ateb gwŷs ar ôl gwŷs ar ôl gwŷs. Yn y diwedd, ar ôl imi sicrhau saffcwndid iddo i ddinas Henffordd, fe ymddangosodd. Roedd hi'n ddiwedd Mehefin 1391, a minnau ar fedr gorchymyn cyfrwyo fy march imi gael neilltuo am rai dyddiau i'm plasty braf yn Chwitbwrn, pan gefais neges fod yna offeiriad am fy ngweld. Euthum i'm swyddfa, a dyma'r dyn bychan od yma i mewn, un byr, tenau, a'i ddillad yn hongian amdano, ei ên bron â chyffwrdd â'i drwyn, ei wallt llaes dros ei ddannedd, a'i lygaid yn tanio yn ei wyneb gwelw.

'William Swinderby, f'arglwydd esgob.'

Yr oeddwn dan beth anfantais. Doeddwn i ddim yn disgwyl Swinderby, nac, o'r herwydd, wedi paratoi ar ei gyfer.

'I ateb eich gwŷs, f'arglwydd esgob,' meddai Swinderby'n ddidaro.

'Eistedda, William,' meddwn innau. 'Rwyt ti wedi oedi llawer cyn dod yma.'

'Nid o ddiffyg parch, f'arglwydd esgob. Llesgedd ac anawsterau.'

'Mi welaf. Mi wyddost fod yna gwynion wedi'u gwneud yn dy erbyn di.'

‘Felly yr ydw i’n deall, f’arglwydd esgob. Mae’n ddrwg gen i.’

Doedd llygaid Swinderby ddim yn edrych i’m cyfeiriad i. Yn hytrach, gwibiai ei drem o’r llawr o’i flaen i’r wal y tu ôl imi.

‘Rwyt ti wedi bod yn pregethu heresïau, William.’

‘Do, f’arglwydd esgob.’

‘Ar fater traws-sylweddiad ac awdurdod y Pab?’

‘Ie, f’arglwydd esgob.’

‘Pam?’

Gwibiodd llygaid gwylltion Swinderby at y drws ym mur yr ystafell.

‘Am imi gael fy nghamarwain, f’arglwydd esgob.’

‘Dy gamarwain?’

‘Ie, f’arglwydd esgob, fy nghamarwain i gredu fod y pethau yr oeddwn yn eu pregethu yn gywir. Mae hynny oherwydd pellter gororau Cymru oddi wrth ganolfannau’r wir ffydd, a phrinder diwinyddion cymwys i’m cywiro. Yn sgil eich condemniad dysgedig chi ohoni, rydw i’n tynnu fy ngau ddysgeidiaeth yn ôl bob gair.’

A dyna’r cyfan fu. Beth allwn i ei wneud ond rhoi gollyngdod i Swinderby, a’i anfon yn ôl ar ei daith, gyda rhybudd i ymgadw rhag heresïau o hynny allan? Pan adroddais yr hanes wrth y deon, fodd bynnag, yr oedd ef yn amheus iawn.

‘Mae’n ddrwg gen i ddweud, f’arglwydd esgob,’ meddai, ‘ond mae o wedi taflu llwch i’ch llygaid chi. Mi fentraf fy mhen yr eith y cadno cyfrwys yn ôl i wlad y gororau, a phregethu’r un peth yn union ag o’r blaen.’

Gwahanol iawn fu fy nghyfarfyddiad, dri mis yn ddiweddarach, â Gwallter Brut. Lle’r oedd

Swinderby'n denau, yr oedd Gwallter yn llond ei groen. Lle'r oedd Swinderby'n dlodaidd, yr oedd Gwallter wedi'i wisgo mewn dillad ysblennydd. A lle'r oedd Swinderby'n ochelgar, yr oedd Gwallter yn ymosodol. Cyrhaeddodd Henffordd gyda gosgordd o wŷr meirch, a adawyd ym muarth y gadeirlan. Aethpwyd ag ef i dŷ'r pencantor, lle darllenodd y deon y rhestr cyhuddiadau yn ei erbyn: gwrthwynebu degymu, gwadu hawl y Pab i fynd i ryfel, gwadu athrawiaeth traws-sylweddiad, difenwi gwŷr mewn urddau. Wedi gwrando ar y rhestr, troes Gwallter ataf fi, a siarad â mi yn Gymraeg.

'Siôn Trefnant,' meddai. 'Yr wyt ti, fel minnau, yn Gymro. Lleygwr ac amaethwr ydw i, wedi fy hyfforddi ym Mhrifysgol Rhydychen. Cristion o hen hil y Brythoniaid, ac yn byw yn y lle y bu fy nhadau fyw am genedlaethau o'm blaen. Mi wyddost ti cystal â mi sut y trowyd yr hen Frythoniaid gynt at grefydd ein Gwaredwr. Y mae hynny ynddo'i hun yn profi i Dduw ein dewis ni iddo'i hun yn genedl etholedig. Ein tynged ni yn yr oes hon yw bod yn offeryn yn ei law ef i ddymchwel yr Anghrist.'

'A phwy ydi'r Anghrist?' gofynnais.

'Yr Anghrist ydi'r sawl sy'n gormesu ar y werin ac yn tywyllu ei llygaid.'

'Y Pab, mewn geiriau eraill?'

'Ti ddywedodd hynny, Siôn Trefnant.'

'Ddywedais i ddim o'r fath beth. Mi ofynna i'r cwestiwn eto. Pwy ydi'r Anghrist?'

'Yr wyt ti, Siôn Trefnant,' meddai Gwallter, 'yn ddiwinydd wrth dy swydd. Fyddai dim byd haws iti na'm maglu i yn fy nadleuon. Dyna pam nad ydw i'n bwriadu ateb dim ar y cyhuddiadau yma heddiw.'

'Ond mae'n rhaid iti eu hateb nhw,' protestiais.

'Ac mi wna i eu hateb nhw. Ond yn ysgrifenedig, lle y galla i gofnodi fy meddyliau heb ymyrraeth.'

'A faint o amser gymerith hynny iti?'

'Hyd ddiwedd y flwyddyn, Siôn Trefnant. Mi gei di fy sylwadau i cyn dydd Calan.'

Trwy ffenestr y neuadd yn nhŷ'r pencantor, gwyliais Gwallter Brut yn ymuno â'i osgordd yn y buarth. Cyn esgyn ar ei farch, bu'n sgwrsio'n fywiog ag un aelod o'r osgordd, ac yr oedd rhywbeth yn gyfarwydd imi ynglŷn â hwnnw – dyn byr, cydnerth, a gwallt a barf, a fu unwaith yn dywyll, yn prysur fritho.

'Gohirio pethau y mae o,' meddai'r deon. 'Chwarae am amser.'

'Wrth gwrs,' meddwn innau, gan ddal i syllu ar y dyn byr yn y buarth. Yr oeddwn wedi ei weld yn rhywle o'r blaen. Pwy gynllwyn oedd o?

'Mi eith oddi yma,' meddai'r deon, 'ac mi gaiff gyngor rhyw hen gefnogwr i Wycliffe yn rhywle – rhyw ddiwinydd fedr roi ei ochr o o'r ddadl.'

'Tebyg i bwy?' gofynnais.

Ac wrth ofyn y cwestiwn, daeth yr ateb imi fel fflach. 'Tebyg i'r Brawd Gerallt, er enghraifft.' Y Brawd Gerallt, wrth gwrs. Dyna pwy oedd y dyn byr, bywiog, yn yr osgordd.

* * *

Yr oeddwn wedi syrthio mewn cariad â'm plasty du a gwyn yn Chwitbwrn, yn ei erddi mawr, coediog ar lan afon Teme. Yno, y mis Ionawr canlynol, y daeth Gwallter Brut, gyda'i drwst arferol, â'i atebion ysgrifenedig i'r cyhuddiadau yn ei erbyn. Yr oedd yr eira'n glynu at ei wallt a'i farf drwchus a'i fantell gnu wrth iddo gerdded yn ddigywilydd i mewn i'm hystafell, a'r deon yn sleifio'n ymddiheurgar yn ei sgîl. Lluchiodd Gwallter bentwr o femrynau ar y bwrdd o'm blaen.

'Dyma nhw, yr Esgob Siôn,' meddai'n ddidaro. 'Y darn gorau o ddiwinyddiaeth yr wyt ti'n debygol o'i ddarllen byth.'

'Dy waith dy hun, Gwallter Brut?'

'Pwy arall. Rydw i'n ŵr gradd, Siôn Trefnant, o Goleg Merton yn Rhydychen.'

'Dim cymorth, felly?'

'Mi gefais gyfaill imi i edrych dros y cyfeiriadau beiblaidd.'

'Y Brawd Gerallt?'

Rhythodd Gwallter yn ddig arnaf.

'Gerallt Ddu, ie. Dydi o ddim yn Frawd ddim mwy. Roedd o'n dweud ei fod o'n dy adnabod di. Un digon annibynadwy, meddai o. Fyddai o byth yn dy roi di y tu cefn iddo mewn brwydr.'

Anwybyddais yr ensyniad.

'Ble mae o'n byw?'

'Yn Llandinabo. Pam?'

Anwybyddais y cwestiwn hefyd.

'Beth mae o'n ei wneud efo fo'i hun y dyddiau hyn?'

'Mae o wedi priodi merch o'r ardal, ac yn amaethu yn ei hen gartref hi. Mae ganddynt blant. Ac mae o'n pregethu hefyd – yn bregethwr teithiol, fel Swinderby.'

'Swinderby. Ydi hwnnw'n dal wrthi?'

'Yn dal wrthi, Siôn Trefnant. Roedd o'n pregethu

i gynulleidfa fawr yn ffair Galan Trefynwy ychydig ddyddiau'n ôl. Mae'n anodd iawn tawelu'r cyfiawn.'

Wedi i Gwallter ymadael, dechreuodd y deon a minnau ddarllen drwy'r memrynau a adawodd. Yr oeddynt wedi eu hysgrifennu mewn Lladin da, ac yn dangos gwybodaeth fanwl o destun y Fwlgat. Yr oedd y ddadl yn glir a chroyw, er bod yr ymresymu weithiau'n niwlog a goreiriog, a'r ddogfen ei hun yn rhy hir o lawer ac, ar dro, yn mynd dros ben llestri'n llwyr. Cyhuddid y Pab o ymelwa ar blwyfi drwy werthu pardynau; yr esgobion o draha yn y modd yr oeddynt yn rhoi gorchmynion ac yn disgyblu; y clerigwyr o atal y cymun i'r sawl nad oedd yn fodlon talu amdano, ac o bluo'u nythod – a oedd eisoes yn ddigon cysurus o ganlyniad i'r degwm bondigrybwyll – â phob math o ffïoedd, gan gynnwys rhai am weddïo dros y meirw. Yr oedd y mynachod, fe haerid, yn waeth na neb, yn gwbl fydol, ac yn honni ar yr un pryd mai hwy oedd gwŷr perffeithiaf yr Eglwys. Dilynid yr ymosodiad cyffredinol hwn ar wŷr eglwysig gan gondemniad ar y drefn ddegymu. Yr oedd y drefn honno'n gosb ddianghenraid ar werin dlawd, yn enwedig pan ddefnyddid y degwm, fel y digwyddai'n aml, i gynnal clerigwyr trythyll ac afradlon. At hyn, yr oedd y meistri Seisnig yn gosod trethi trymion ar ran y Pab, a hwnnw wedyn yn eu defnyddio i ryfela. Yn wir, maentumid mai'r Pab ei hun oedd yn gyfrifol am holl ryfeloedd yr oes. Gan fod rhyfel yn beth cynhenid ddrwg, yr oedd hynny, heb sôn am dystiolaethau eraill, yn ddigon i brofi mai'r Pab oedd yr Anghrist, a cheisid cefnogi'r honiad hwnnw trwy gyfeirio'n aml at hen broffwydoliaethau'r

Cymry, ac at fyd seryddiaeth, a ddangosai y tu hwnt i bob amheuaeth fod cwymp yr Anghrist i ddwylo'r Brythoniaid wrth law. Yr oedd y rheini – y Cymry, fel y gelwid hwy erbyn hyn – yn haeddu cael y Beibl yn eu hiaith eu hun, yn lle bod ei ddirgeleddau yn cael eu llurgunio gan glerigwyr at eu pwrpas eu hunain. Tua diwedd y ddogfen, yr oedd adran hir yn delio â phwnc traws-sylweddiad, ac yn honni fod ugeiniau lawer o Gristnogion da ar ororau Cymru yn credu, ac wedi credu erioed, a hynny'n ddigon rhesymol, fod yr elfennau yn parhau i fod yn fara a gwin, hyd yn oed ar ôl i bresenoldeb real Crist ddod i mewn iddynt.

'Beth wnei di o hyn i gyd, Walter?' gofynnais i'r deon.

'Mae'n dipyn o gawl, f'arglwydd esgob,' atebodd hwnnw, 'ond mae'na rai pethau . . .'

'Yn dal dŵr?'

'Yn haeddu ystyriaeth o leiaf, f'arglwydd esgob.'

'Felly rydw innau'n meddwl. Dydw i ddim yn mynd i ddelio efo'r mater hwn fy hun, Walter. Mi rydw i'n mynd i anfon y dogfennau at gomisiwn o ddiwinyddion a chyfreithwyr eglwysig. Mi gânt hwythau adrodd yn ôl imi. Yn y cyfamser, mi fydd yn rhaid imi wneud rhywbeth ynglŷn â Swinderby. Mae o'n dal i bregethu, er gwaetha fy rhybudd i iddo. Dydw i ddim yn gweld sut y galla i weithredu ymhellach. Y peth gorau, felly, fydd trosglwyddo'i achos o i ofal yr awdurdodau gwladol. Mi fedran nhw ei arestio fo, os ydyn nhw'n dymuno.'

Cyn gwneud hynny, fodd bynnag, yr oedd gen i un gorchwyl y byddai'n rhaid imi ei gyflawni. Chwarae am amser yr oeddwn innau, ac yr oedd yn bwysig rhoi cyfle teg i bawb. Yn gynnar un bore tua diwedd Ionawr, dyma fi'n marchogaeth ar fy mhen fy hun allan o ddinas Henffordd, a chymryd y ffordd i gyfeiriad y de. Roedd hi'n fore sych, clir, a haul tanbaid yn yr wybren las uwch yr eira a oedd yn dal i amdoi'r dolydd ac i lynu'n ystyfnig at ysgerbydau'r coed ac asennau'r cloddiau. Tua chanol y prynhawn, cyrhaeddais bentref bychan Llandinabo, a gofyn i wraig, a safai ar ben drws yno, fy nghyfeirio i dŷ Gerallt Ddu.

'Gerallt Ddu, ddieithryn?' ebe hi. 'I fyny'r bryncyn o'th flaen, ac wedyn i'r chwith. Amaethdy.'

Cyn hir, deuthum at y lle. Tŷ hir, isel, a'i ffrâm o goed, ydoedd, a deuai colofn o fwg croesawgar allan o'r twll yng nghanol ei do gwellt. Porai dwy afr, a chrafai nifer o ieir ar y buarth, a nofiai rhyw hanner dwsin o hwyaid mewn pwll bychan gerllaw. Ar ochr chwith y tŷ yr oedd ysgubor lawn a beudy, a gallwn weld y gwartheg yn cnoi eu cil yn fyfyrgar wrth eu haerwyon. Yr oedd pedwar o blant yn chwarae y tu allan i'r ysgubor, tri ohonynt yn ceisio dal y pedwerydd, a gymerai arno fod yn farchog, a phen ceffyl o'i flaen ar ffon rhwng ei goesau. Daeth pwl o eiddigedd drosof. Dyma'r bywyd, wedi'r cyfan. Gwraig a phlant. Tyddyn a chreaduriaid. Llonydd a heddwch, ymhell o ddichell Rhufain a Rhydychen a Chaergaint, a gwleidyddiaeth gythryblus byd ac eglwys. Yr oedd yma ryw fodlonrwydd na wyddwn i ddim amdano.

Pan welodd y plant fy march a minnau'n dynesu, darfu'r chwarae, a safodd y pedwar i syllu arnaf yn hanner drwgdybus. Disgynnais oddi ar y march, a'i dywys gerfydd ei ffrwyn i'r buarth.

'Ydi'ch tad gartref?'

Daeth geneth fechan o blith y pedwar plentyn, a gafael yn gariadus yn fy llaw.

'Tyrd efo mi.'

Dilynais hi bron at ddrws y tŷ, a rhedodd hithau i mewn o'm blaen, a'r plant eraill ar ei hôl. Daeth gwraig ifanc dlos i'r drws, a rhyw hanner gwên groesawgar a disgwylgar ar ei hwyneb. Yr oedd y plant erbyn hyn yn sbecian arnaf, dau bob ochr iddi, o bobtu ei ffedog.

'Ydi Gerallt gartref?' gofynnais.

'Pwy sy'n holi?'

'Hen gyfaill iddo o ddyddiau Rhydychen. Siôn. Siôn Trefnant.'

Ar hynny, daeth llais o'r ystafell:

'Tyrd i mewn, Siôn Trefnant.'

Wrth ddilyn y wraig i mewn i'r tŷ, gwelais Gerallt yn yr hanner gwyll, yn sefyll â'i gefn at y tân, a'i goesau ar led. Daeth gwên i'w wefusau, ond gwên ofalus, amheus, ydoedd, a ffurfiol ac oeraidd oedd ei ysgwyd llaw â mi.

'Gwin, Mabli. Gwin i'm hen ffrind, Siôn Trefnant.'

Eisteddasom ein dau wrth y bwrdd ffawydd mawr yng nghanol yr ystafell, a daeth y wraig â chostrelaid o win a dau gwpan. Agorodd Gerallt y gostrel, a thywallt peth o'r gwin i'r cwpanau.

'Iechyd da, Siôn.'

'Iechyd da, Gerallt,' atebais. 'Nid fod angen dymuno'r fath beth iti, ar dy olwg.'

'Rydw i'n byw bywyd iachus,' meddai Gerallt. 'Llawer mwy iachus na phendroni dros ryw ddogfennau diflas o Rufain.'

'Ers faint wyt ti yma, Gerallt?'

‘Ers rhyw wyth mlynedd. Pan ddaeth Courtenay i’r Confocasiwn yn Rhydychen, a gorfodi dilynwyr Wycliffe i ildio, mi gefais i’r dewis naill ai i gydymffurfio neu i golli fy swydd dysgu yn y brifysgol. Doeddwn i, mwy na llawer o rai eraill, ddim yn barod i gydymffurfio, ac fe ddaeth criw ohonom i lawr yma, i setlo yng ngororau Cymru. Mynach oeddwn i wrth fy ngalwedigaeth, wrth gwrs; ond, fel y gwyddost ti, doeddwn i erioed yn un brwdfrydig iawn, ac mae mynachod yn dra amhoblogaidd y ffordd hyn. Mater bach imi, felly, oedd cefnu ar lwon y fynachaeth. Mi fûm i’n dilyn Swinderby am rai misoedd, yn pregethu o gwmpas y gororau, ac yn cael ein cynnal gan y bobl. Ac yna, mi syrthiais mewn cariad efo Mabli, a’i phriodi. Yr oedd ei thad hi yn un o’n cefnogwyr selocaf ni, ond fe fu o farw ryw bum mlynedd yn ôl, ac ar ôl hynny rydw i wedi bod yn ffermio’r tyddyn yma.’

‘Ac yn dal i bregethu?’

‘Yn dal i bregethu o dro i dro, Siôn, fel y bo’r gofyn. A chei di mo f’atal i rhag gwneud hynny.’

‘Beth ydi dy berthynas di â Gwallter Brut?’

‘Mae Gwallter yn un o amaethwyr cyfoethocaf yr ardaloedd hyn, ac yn un o’u gwŷr mwyaf dysgedig hefyd. Ond penboeth. Cymro penboeth, yn un peth, wedi’i drwytho yn hen hanes a chwedlau a barddoniaeth y Cymry, ac yn llwyr argyhoeddedig fod yna ryw Fab Darogan ar ymddangos i arwain y genedl i ryw gampau o wrhydri na welwyd erioed mo’u bath. Fe ymunodd â ni yn gynnar iawn yn ystod ein hymgyrch bregethu, wedi cael rhyw chwilen yn ei ben mai’r Cymry ydi’r bobl a fydd yn dymchwel y babaeth. Dydi hynny, wrth gwrs, yn rhan o ddysgeidiaeth neb ond y fo'i hun.'

'Rydw i'n deall dy fod di wedi darllen ei atebion o i'r cyhuddiadau a wnaed yn ei erbyn.'

Edrychodd Gerallt arnaf yn anniddig.

'Do, Siôn. Ond ei atebion o ydyn nhw. Dydw i ddim yn cytuno efo popeth. Dydw i ddim, er enghraifft, yn cyd-fynd â'r deunydd apocalyptaidd yna am y Cymry parthed y Pab.'

'Dyna pam, Gerallt, y gelli di fod o gymorth imi. Ac nid i mi yn unig ychwaith, ond i Gwallter hefyd, ac i ti dy hun, diau, yn y pen draw. Rydw i wedi penderfynu anfon atebion Gwallter i'w harchwilio gan gomisiwn. Does gen i ddim gronyn o amheuaeth na fydd y comisiwn yn eu condemnio nhw. Ond y comisiwn fydd wedi gwneud hynny, nid fi. Fe orchmynnir Gwallter i dynnu ei honiadau'n ôl, neu wynebu cosb . . .'

'Thynnith o byth yn ôl. Rydw i'n ei adnabod o.'

'Ond yma, Gerallt, y gelli di wneud dy ran. Wedi i'r comisiwn orffen ei waith, fe ymddiriedir y gweddill i mi. Fi, yn rhinwedd fy swydd fel esgob, fydd yn penderfynu a ydi Gwallter wedi tynnu'n ôl ai peidio. Pe baet ti'n medru ei ddarbwyllo fo i feddalu tipyn ar ei ymosodiadau, a'u cyffredinoli nhw, ac i ddileu'r darogan am y Cymry'n dymchwel y Pab, fe fyddai hynny'n ddigon da i mi. Does gen i, wedi'r cyfan, ddim calon i fynd i erlid disgyblion fy hen athro.'

'Ond yn ein herbyn ni yr wyt ti, Siôn.'

'Rydw i'n was i'r Pab. Mae'n rhaid imi gael fy ngweld yn gwneud ewyllys y Pab. Ewyllys y Pab ydi bod pobl yn meddwl yn gywir. A meddwl yn gywir ydi meddwl fel y mae'r Pab yn meddwl. Amdanaf fy hun, fedra i ddim rhwystro pobl rhag meddwl beth fynnan nhw. Ond mae'n ddyletswydd arna i i'w rhwystro nhw rhag pregethu'r meddyliau hynny i'r graddau fod y werin yn gwrthryfela, ac yn anafu'r Pab. Y Pab ydi fy mhennaeth i. Fel y mae'n digwydd, y mae'r Pab hwn yn gyfaill imi hefyd. Mi fyddai'n groes i'm cydwybod i weld anafu cyfaill. Ond mi fyddai'n groes i'm cydwybod i hefyd i gosbi'r rhai a fu'n gyfeillion imi gynt . . .'

'Wyt ti'n gofyn i ni sarnu ar ein cydwybod er mwyn arbed dy gydwybod di?'

'Nac ydw, Gerallt. Dim o'r fath beth. Rydw i'n gofyn i Gwallter Brut dymheru ychydig ar ei ddadleuon, er mwyn achub ei fywyd. Cyflwyned Gwallter i mi ddogfen a fydd yn derbyn dysgeidiaeth a threfn yr Eglwys mewn egwyddor, ac mi gaiff ddal i feddwl beth fynn o am y manylion, cyn belled ag nad ydi o'n annog pobl i wrthryfela. Mae'r un peth yn wir am Swinderby. Ble mae hwnnw'r dyddiau yma? Wyddost ti?'

'Does gen i ddim syniad.'

'Mi fydd yn rhaid imi drosglwyddo'i achos o i sylw'r awdurdodau gwladol. Mae hynny'n golygu y bydd yna gryn chwilio amdano fo gan swyddogion y goron. Does gen i ddim ond gobeithio fod ganddo fo gyfeillion da, a all ei guddio fo'n llwyddiannus. Ac rydw i'n dweud hyn wrthyt ti er mwyn iti ei rybuddio fo, os medri di, i fod yn ofalus.'

Cododd Gerallt o'i gadair, a cherdded at y ffenestr fechan, a syllu allan i'r gwyll. Ymhen ysbaid, daeth yn ei ôl at y bwrdd, a chynnau'r gannwyll arno. Taflodd golau'r gannwyll ei gysgod ef a minnau yn siapiau bwganllyd ar y muriau pridd.

'Mi wna i beth fedra i, Siôn Trefnant.'

* * *

Yr oedd un ar hugain o ysgolheigion yn eistedd ar y comisiwn a ystyriai achos Gwallter Brut, ac yn eu plith dri Chymro: Lewis Aber, Trysorydd Tyddewi, y Brawd Philip Tudur, ac Adda Brynbuga. Rhygnodd y broses ymlaen ac ymlaen, ac fe aeth dwy flynedd a hanner heibio cyn imi fedru gwysio Gwallter i ymddangos gerbron y deon a'r siapter a minnau yng nghadeirlan Henffordd, ar y trydydd dydd o Hydref 1393. Cyrhaeddodd y gadeirlan gyda gosgordd luosog o'i gefnogwyr, a Gerallt Ddu yn eu plith. Yr oedd adroddiad y comisiwn gennyf, a'm gorchwyl cyntaf oedd hysbysu Gwallter o'i benderfyniadau.

'Ar y cyhuddiad o geisio tanseilio awdurdod y Pab: euog o heresi. Ar y cyhuddiad o wadu athrawiaeth sanctaidd traws-sylweddiad: euog o heresi. Ar y cyhuddiad o ddifenwi clerigwyr yr Eglwys: euog.'

Rhaid oedd wedyn ei hysbysu o'r cam nesaf.

'Gwallter Brut, y mae gennyt yn awr ddewis. Gelli dynnu'n ôl yr honiadau a wnaethost yn dy atebion, gan dderbyn dy gywiro gan dy esgob, neu ynteu gelli lynu wrth yr honiadau hynny. Os dewisi lynu wrth yr honiadau, byddi'n gosod iachawdwriaeth dy enaid tragwyddol y tu allan i gylch amddiffyniad yr Eglwys, a bydd yn rhaid imi, felly, dy draddodi i'r awdurdodau gwladol i'th gosbi. Y gosb arferol am heresi yw marwolaeth trwy dân.'

Aeth ton o sisial cynhyrfus drwy'r osgordd.

'Gwallter Brut, beth a ddywedi di?'

Estynnodd Gwallter ei hun i'w lawn faint, a syllu'n herfeiddiol arnaf.

'Rydw i'n gofyn am amser i ystyried, f'arglwydd esgob.'

'Y mae'r achos hwn,' meddwn, 'wedi rhygnu ymlaen am flynyddoedd, ac y mae'n hen bryd iddo ddod i ben. Faint o amser sydd arnat ti ei eisiau?'

'Deuddydd yn unig, f'arglwydd esgob.'

'O'r gorau. Fe gaiff y llys ailymgynnull drennydd. Ond os na bydd y diffynnydd yn bresennol y pryd hynny, fydd gen i ddim dewis ond traddodi'r achos i'r awdurdodau gwladol.'

Drennydd a ddaeth, a'r tro hwn dim ond Gwallter ei hun a Gerallt Ddu a ymddangosodd o'm blaen yn y gadeirlan.

'Fe gefaist amser i ystyried, Gwallter. Beth yn awr sydd gennyt ti i'w ddweud?'

Troes Gwallter at Gerallt, a rhoddodd hwnnw sgrôl yn ei law.

'Rydw i wedi paratoi fy ymateb, f'arglwydd esgob, ac yn bwriadu ei ddarllen.'

Agorodd y sgrôl, a thaflu llewc i'm cyfeiriad.

'Yr wyf fi, Gwallter Brut, yn datgan fy ymateb i farn y comisiwn dysgedig a'm cafodd yn euog o ddau gyhuddiad o heresi, ac o un cyhuddiad o ddifenwi clerigwyr. I gymryd y cyhuddiad lleiaf pwysig yn gyntaf, fy mwriad gwreiddiol oedd nid difenwi neb, ond yn hytrach ddwyn sylw at rai drwg arferion ymhlith clerigwyr, a oedd, i'm tyb i, yn dwyn gwarth ar yr Eglwys. Gan i'r comisiwn farnu fod hynny'n ddifenwi, yr wyf yn ymddiheuro am y difenwi.'

Arhosodd Gwallter i glirio'i wddf, gan giledrych yn sydyn ar Gerallt. Yr oedd hwnnw, fodd bynnag, yn syllu'n angerddol bryderus i'm cyfeiriad i.

'Ar y cyhuddiad y'm cafwyd yn euog ohono o wadu athrawiaeth traws-sylweddiad yr elfennau, yr wyf yn awr yn barod i addef fod bara a gwin yr Eucharist yn gorff a gwaed Crist. Ac ar y cyhuddiad o geisio tanseilio awdurdod y Pab, yr wyf yn datgan fy mod yn awr, fel erioed, yn derbyn yr awdurdod hwnnw mewn egwyddor, a'm bod yn barod i dderbyn fy nghywiro ar faterion ysbrydol ac eglwysig gan Esgob Henffordd.'

Yr oedd yr achos ar ben.

'Gwallter Brut,' cyhoeddais, 'fe gei di'n awr ymadael â'r gadeirlan yn ddyn rhydd.'

Yr oedd Gerallt yn amlwg wedi gwneud ei waith, a hynny'n dra chyfrwys. Nid oedd Gwallter wedi tynnu'n ôl ei honiad fod 'drwg arferion' ymhlith clerigwyr. Yn hytrach, yr oedd wedi ymddiheuro am fynd dros ben llestri i'r fath raddau wrth wneud yr honiad hwnnw nes bod y comisiwn yn ei ystyried yn ddifenwi. Nid oedd wedi tynnu'n ôl ei sylwadau ar draws-sylweddiad ychwaith. Datganiad penagored iawn oedd fod 'bara a gwin yr Eucharist yn gorff a gwaed Crist'. Nid oedd yn cyhoeddi'n ddiamwys fod y bara yn troi i fod yn wir gnawd, a'r gwin i fod yn wir waed. Ar fater awdurdod y Pab, datganiad 'mewn egwyddor' yn unig a gafwyd, gan gadw'r hawl, yn ôl pob golwg, i wrthod yr awdurdod pe bai amgylchiadau'n gofyn am hynny – fel, dyweder, yn achos degymu, neu yn achos trethu'r bobl i dalu am ryfeloedd. Fodd bynnag, yr oedd bodlonrwydd Gwallter i gymryd ei gywiro gan yr esgob ar y materion hyn yn awgrymu parodrwydd i newid meddwl. Ar y llaw arall, diau bod Gerallt wedi ei argyhoeddi nad oedd yr esgob yn debyg o wneud unrhyw ymdrech i'w gywiro, am fod yr esgob yn llwyr gytuno o leiaf ar fater drwg arferion ymhlith clerigwyr – mynachod yn enwedig, ac yn gogwyddo at yr un syniadau ag ef ar draws-sylweddiad.

Tybiwn fy mod wedi dod drwy gwmwl mawr cyntaf fy esgobawd yn ddianaf, heb fradychu fy hen athro, Wycliffe, na'm hen gyfaill, Boniffas; heb erlid dilynwyr y naill, na bod yn annheyrngar i'r llall. Ychydig a wyddwn ar y pryd fod cymylau eraill, a duach, yn casglu ar y gorwel.

Ryw flwyddyn ar ôl helynt Gwallter Brut y daeth y newydd am farw Alexander Bache, Esgob Llanelwy, a bod y Pab Boniffas, yn wahanol i'w ragflaenydd, Urban VI, yn barod i gadarnhau etholiad Siôn Trefor yn olynydd iddo.

VII

Mae hi'n fore braf heddiw, mi wn, a gallaf ffroeni'r gwanwyn yn yr awel sy'n chwythu i fyny o'r ardd wrth i Ieuan Offeiriad agor y drws trwm a dod i mewn i'r ystafell gyda'r llestri brecwast.

'Mae Caergaint yn cwyno, f'arglwydd esgob, na chafodd o mo'ch ymateb chi i benderfyniad y brenin.'

'Pa benderfyniad, Ieuan?'

'Y penderfyniad i roi'r cyfrifoldeb am y rhyfel yng Nghymru i'w fab, Harri Trefynwy, ac i leoli'r garsiwn yma yn Henffordd.'

Oherwydd llesgedd, mi fethais fynd i'r cyfarfod diwethaf o Gyngor y Brenin, lle y cyhoeddodd Harri IV y penderfyniad hwn.

'Dydi Harri Trefynwy yn ddim ond pymtheg oed, Ieuan.'

'Ond mae'r brenin yn ymddiried ynddo. Mae yna sôn hefyd, f'arglwydd esgob, fod y Cymry wedi bod yn llosgi a dinistrio yn ne'r esgobaeth.'

Llosgi a dinistrio. Dyna fu hanes rhyfel erioed. Ac y mae rhyw ryfel neu'i gilydd wedi bod ar gerdded drwy Gymru a Lloegr yn ddi-baid dros y pum mlynedd diwethaf yma, a'r rheini fel trobyllau yn fy sugno innau i'w crombil. Cynnwrf troad canrif ydi o, medden nhw. Ond Siôn Trefor a'm gwthiodd i i'r cawl bum mlynedd yn ôl, ac ef hefyd sy'n gyfrifol am fy mhicil presennol.

Teithiais i fyny i Lanelwy i wasanaeth gorseddu Siôn Trefor yn esgob yno. Profiad rhyfedd oedd bod yn ôl yn yr hen gadeirlan nas gwelswn ers deng mlynedd ar hugain, a sylweddoli, er bod yr adeilad yn dal yn union yr un fath ag yr oedd pan oeddwn i'n hogyn, nad oeddwn i bellach yn adnabod yr un enaid byw yno. Heblaw am Siôn Trefor ei hun, wrth gwrs, ac yr oedd ef, ar ôl y gwasanaeth, mewn hwyliau ardderchog. Cafwyd gwledd yn ei blasty newydd y noson honno – bwydydd a gwinoedd ddigonedd, ac, am y tro cyntaf ers imi adael cartref, cefais glywed bardd yn datganu moliant ei noddwr.

'Dydw i ddim yn deall pam na fyddit ti'n noddi

beirdd tua'r Henffordd yna,' meddai Siôn Trefor wrthyf.

'Hwyrach yn wir y gwna i,' meddwn innau.

'Mae'n bwysig iawn noddi'r beirdd, Siôn Trefnant. Nhw sy'n cadw'n hymwybod ni fel cenedl yn fyw. Peth arall y mae'n bwysig nad ydi o ddim yn mynd ar goll ydi'n herodraeth ni. Ddywedais i wrthyt ti fy mod i wedi dechrau ysgrifennu llyfr ar herodraeth?'

'Pwnc od i esgob,' atebais.

'Nid i esgob yng Nghymru. *Tractatus de Armis*, dyna fydd ei deitl o, ac mi fydd yna fersiwn Cymraeg hefyd, *Y Llyfr Arfau*. Yn wyneb yr holl ladrata sydd yna gan y Saeson ar deitlau ac arfbeisiau y dyddiau hyn, mae'n hanfodol cofnodi beth sy'n eiddo i bwy. Hwyrach y daw'r dydd y gallwn ni eu hadfer nhw i'w gwir berchenogion. Wyt ti'n dal i freuddwydio am ryddid i'r Cymry, Siôn?'

'Cwestiwn rhyfedd, Siôn Trefor. Dydw i ddim hyd yn oed yn meiddio meddwl am y fath beth. Ti dy hun ddywedodd wrthyf fi ryw dro nad oedd hynny ddim yn ymarferol.'

'Efallai ei fod o'n fwy ymarferol erbyn hyn.'

'Syr Rhosier Mortimer?'

'Wrth gwrs, Siôn. Mae'r brenin Rhisiart yn ddietifedd, a'i wraig, Ann o Bohemia, wedi marw y llynedd.'

'Ond y mae sôn ei fod o'n mynd i briodi Isabella, merch Siarl, brenin Ffrainc.'

'I beth, Siôn? Y si yn y Curia ydi mai gwleidyddiaeth yn unig ydi hynny. Mae Rhisiart yn wrywgydiwr.'

'Dyna'r si a glywais innau.'

'Os bydd o farw heb fab, ei etifedd penodedig o ydi Rhosier Mortimer, ac y mae gwaed Cymreig yn Rhosier.'

'Mae o'n wan drybeilig erbyn hyn, Siôn Trefor. Rydw i wedi cyfarfod â Rhosier Mortimer. Dydi Wigmor, ei gartref, ddim ymhell o Henffordd acw, ond nad ydi Rhosier bron byth yno. Rhyw ddwywaith yn unig y bûm i'n siarad efo fo. Gŵr ifanc tal, llawen, ond dibris iawn o grefydd, mae arna i ofn. Mae ganddo fo a'i wraig dri o blant bach – Edmwnd a Rhosier ac Ann. Ond Saeson rhonc ydi'r teulu. Mae'r gwaed Cymreig wedi mynd yn denau iawn.'

'Ond y mae o yno, serch hynny. Ac y mae'r beirdd Cymraeg eisoes yn seboni Syr Rhosier: "Syr Rhosier o'r Mortimer mawr". Pwy a ŵyr? Hwyrach bod gwaredigaeth yn nes nag a feddyliodd neb ohonom.'

'Beth am Harri Bolingbroke ynteu? Mae o'n gefnder cyfan i'r brenin. Mae yna gefnogaeth fawr iddo yn fy esgobaeth i. Mae Mari de Bohun, ei wraig o, wrth gwrs, yn ferch i Iarll olaf Henffordd. Ac y mae Harri, yn wahanol iawn i Rhosier, yn ŵr duwiolfrydig iawn.'

'Duwiolfrydig neu beidio, does gan Rhisiart ddim ymddiriedaeth ynddo fo, Siôn. Rhosier ydi'r dewis etifedd.'

'Mi wn i hynny. Ond mi fuaswn i'n meddwl y byddai Harri yn barod i ymladd yn erbyn Rhosier am yr orsedd. Mae o'n perthyn yn nes i'r brenin, a thrwy'r llinach wryw at hynny. A chofia di fod gan Harri fab a anwyd yng Nghymru – Harri Trefynwy.

Mi all hwnnw ddweud ei fod o'n rhyw fath o Gymro.'

'Dim ond fel y medrai Edward II ddweud ei fod o'n Gymro, am iddo gael ei eni yng Nghaernarfon. Cwbl ddiystyr.'

'Dim llawer mwy diystyr na gwaed honedig Gymreig Rhosier Mortimer.'

'Ond fod Syr Rhosier yn ymwybodol fod ganddo gefnogaeth yng Nghymru, ac y byddai o'n debygol o gydnabod y gefnogaeth honno. Ac fe fydd gennym ni, Siôn Trefnant, fel esgobion, ran bwysig i'w chwarae yn yr olyniaeth.'

'Mi ddywedaist wrthyf fi ryw dro, Siôn Trefor, mai dy ddull di ydi aros i weld pwy sy'n ennill y chwarae cyn gwneud dim.'

'A dyna'r peth i'w wneud tra bo dyn yn gweithio'i ffordd i fyny yn y byd. Ond ar ôl cyrraedd y brig, mae ganddo fo ran yn y chwarae ei hun. A chan fod ganddo fo lawer mwy i'w golli, mae'n hanfodol nad ydi o byth yn cefnogi collwr. Os wyt ti'n credu yn hawliau dwyfol brenhinoedd, Siôn, yna y mae gan Rhisiart hawl i enwi ei etifedd. A Rhosier, nid Harri Bolingbroke, ydi ei ddewis o.'

Hawliau dwyfol brenhinoedd, yn wir. Dros y blynyddoedd nesaf, fe ddechreuodd Rhisiart ymddwyn mewn modd mwyfwy ansefydlog. Cymerodd arno'i hun bwerau absoliwt teyrn, gan gynyddu trethi i gynnal moethusrwydd penchwiban ei lys. Yn wir, ar un achlysur, fe fenthyciais i fy hun gan morc iddo, i'w gadw rhag dyled. Yn fuan wedyn, arestiwyd ei ewythr, ei hen elyn, Thomas o Gaerloyw, a'i garcharu yn Calais yn Ffrainc, lle y llofruddiwyd ef ar orchymyn Rhisiart. Alltudiwyd

Thomas Arundel, Archesgob Caergaint hefyd, a dienyddiwyd ei frawd, Iarll Arundel – dau o gefnogwyr selocaf Thomas o Gaerloyw. Yr oedd y ddau hyn yn ewythrod-yng-nghyfraith i Harri Bolingbroke, yn frodyr i Siwan de Bohun, mam ei wraig, ac yn feibion i'r olaf o Ieirll Henffordd. Mawr oedd y gwrthwynebiad yn fy esgobaeth i i'r weithred hon, ond lliniarwyd peth ar y diclloned pan ddyrchafodd Rhisiart Harri Bolingbroke yn Ddug Henffordd. Ychydig fisoedd yn ddiweddarach, fodd bynnag, alltudiwyd Harri yntau i Ffrainc. Ar yr un pryd yr oedd Rhisiart yn wynebu gwrthryfel difrifol yn Iwerddon, a phenodwyd Syr Rhosier Mortimer i arwain ei luoedd yn y wlad honno.

Roedd hi'n ganol Awst crasboeth, a minnau'n eistedd, yn ceisio darllen ychydig, ar fainc yn yr ardd yn Chwitbwrn, ac yn dychmygu, yng ngwres y dydd, fy mod yn ôl yn Rhufain liwgar, gynnes, pan ddaeth un o'r gweision ar redeg ataf i'm hysbysu fod yna negesydd yn y tŷ, a oedd am gael gair â mi ar frys.

Prysurais i'r tŷ, ac i'r llyfrgell. Yn sefyll yno, a'i gefn at y ffenestr fawr a agorai allan ar yr ardd, yr oedd marchog, a'r arfbais frenhinol ar ei arfwisg. Pan gerddais i mewn i'r ystafell, ymgroesodd y marchog, a phenlinio o'm blaen, a bendithiais innau ef.

'Mae gennyt ti neges imi, rydw i'n deall?' gofynnais.

'Neges oddi wrth y brenin, f'arglwydd esgob, i holl aelodau'r Cyngor a'r Senedd. A newydd drwg at hynny. Ar y pymthegfed dydd o'r mis yma, fe laddwyd etifedd enwebedig y goron, Syr Rhosier Mortimer, mewn ysgarmes yn Kells yn Iwerddon.'

Disgynnodd y newydd fel taranfollt ar fy nghlyw. Syr Rhosier Mortimer, pedair blwydd ar hugain oed, yn farw! Mab fy hen noddwr gynt. Preswyliwr pwysicaf fy esgobaeth. Etifedd y goron. Gobaith y Cymry. Beth oedd yn bod arnom ni, Gymry, fod ein gobeithion ni yn cael eu darnio fel hyn heb fyth ddwyn ffrwyth – Owain Lawgoch ugain mlynedd union yn ôl, ac yn awr Syr Rhosier Mortimer? Pwy'n awr fyddai'r Mab Darogan?

Yr oedd y marchog yn dal i lefaru:

'Fe ddarniwyd ei gorff gan y Gwyddelod, ond fe gasglodd ei filwyr y darnau ynghyd, a'r gobaith yw dod â nhw i abaty Wigmor i'w claddu. Mae yna gais gan y brenin ar i chi, f'arglwydd esgob, ei gynrychioli o yn y gladdedigaeth. Mae'r brenin yn ymddiheuro na fydd o ddim yno ei hun. Mae o'n bwriadu codi byddin ar fyrder a hwylio i Iwerddon i ddysgu gwers i'r Gwyddelod unwaith ac am byth.'

Harri Bolingbroke yn alltud yn Ffrainc. Rhisiart II yn paratoi at ryfel yn Iwerddon. Dyna'r sefyllfa erbyn i weddillion ei nai, Rhosier Mortimer, gyrraedd abaty Wigmor i'w claddu ddiwedd yr haf y flwyddyn honno.

* * *

'Na,' meddai Siôn Trefor. 'Dydi amser ddim o blaid hynny.'

Yr oedd yn aros yn fy mhlasty yn Chwitbwrn noson angladd Syr Rhosier Mortimer. Yn y cwmni hefyd yr oedd Lewis ab Ieuan, rheithor segurswydd Byford yn fy esgobaeth i, a swyddog ar y pryd yn y Curia yn Rhufain. Yr oedd Lewis wedi'i anfon i gynrychioli'r Pab Boniffas yn yr angladd, ac i bwyso a mesur hefyd sut yr oedd y gwynt yn chwythu yn Lloegr ac yng Nghymru yn dilyn y datblygiadau diweddar. Yr oedd wedi manteisio ar y cyfle i daro draw i weld y plwyf yr oedd ef yn hawlio'i ddegwm.

'Mae plant Rhosier yn rhy fach. Mae'n wir mai Edmwnd, y mab hynaf, ydi dewis etifedd Rhisiart erbyn hyn. Ond fedrwn ni ddim fforddio'r amser i ddisgwyl i Edmwnd dyfu i fyny. Ond gan fod gan Rhosier blant, fedrwn ni ddim ychwaith fwrw'r goelbren dros Edmwnd, ei frawd. Fyddai hynny ddim yn bodloni deddfau etifeddiaeth.'

'Dyna ddiwedd ar Feibion Darogan y Cymry ynteu,' meddai Lewis Byford.

'Ddim yn hollol,' meddai Siôn Trefor yn gynllwyngar. 'Mae yna un dyn ar y gorwel.'

'A phwy ydi hwnnw?' gofynnais. 'Harri Trefynwy, Tywysog newydd Cymru?'

Cododd Siôn Trefor fys ei ddeheulaw at ei drwyn.

'Pwyll ac amynedd, Siôn Trefnant. Yr unig beth ddyweda i ar hyn o bryd ydi fod y Mab Darogan yn byw yn fy esgobaeth i yn Llanelwy, a'i fod o'n ddisgynnydd uniongyrchol i'r hen dywysogion.'

'Mae Esgob Llanelwy,' meddai Lewis Byford, 'yn argyhoeddedig o bwysigrwydd ei esgobaeth.'

'Dydi pwysigrwydd fy esgobaeth i,' meddai Siôn Trefor, 'yn ddim o'i gymharu â phwysigrwydd esgobaeth Siôn Trefnant. Roedd Rhosier Mortimer yn byw ynddi. Mae Harri Bolingbroke yn dal cysylltiad â hi. Mi fydd yn rhaid i chdi, Siôn Trefnant, benderfynu un o'r dyddiau yma ymhle'r wyt ti'n sefyll. Wyt ti o blaid Rhisiart, neu ynteu o blaid Bolingbroke? Neu, yn wir, a wyt ti o blaid Mab Darogan dy bobl?'

'Rydw i'n deyrngar i Rhisiart ar hyn o bryd, Siôn Trefor, fel y dylit tithau fod. Rwyt ti a minnau wedi bod yn gwneud dyletswyddau ar ei ran, ac wedi cael ein gwobrwyo am hynny. Beth am y swyddi gwladol pwysig yna yr wyt ti'n eu dal yng Ngogledd Cymru? Pwy penododd di i'r rheini? A sut bynnag, mae ar Rhisiart gan morc i mi, a does arna i ddim eisiau gweld ei gefn o nes iddo fo dalu'i ddyled.'

'Y peth pwysig i'r Pab, wrth gwrs,' ebe Lewis Byford, 'ydi bod y deyrnas yn para'n deyrngar i Rufain. Beth am y Mab Darogan newydd yma yng Nghymru? Pe bai o'n llwyddo i sefydlu teyrnas annibynnol ar Loegr, fedrai Rhufain ddibynnu arno fo?'

'Dyna gwestiwn arall,' atebodd Siôn Trefor. 'Gan fod Lloegr yn deyrngar i Rufain, mi fedra i'n hawdd ddychmygu Cymru annibynnol yn rhoi ei theyrngarwch i Avignon. Cofiwch fod yna gysylltiad efo Ffrainc ers dyddiau Owain Lawgoch.'

'Amdanaf fy hun,' meddwn i, 'fedrwn i ddim cefnogi neb a fyddai'n annheyrngar i Boniffas.'

'Rydym ni'n tri'n adnabod Boniffas,' ebe Lewis Byford, 'ac wedi gweithio iddo.'

'Ond dim ond y fi,' meddwn, 'sy'n gyfaill personol iddo, ac wedi ei adnabod o ers cyn iddo ddod yn Bab.'

'Dydi Boniffas,' meddai Siôn Trefor, 'ddim yn mynd i fod yn Bab am byth. Mi alla i weld amgylchiadau'n codi pan fyddai'n rhaid i Henffordd a Llanelwy, fel ei gilydd, droi at Avignon.'

'Pam Henffordd?' gofynnais.

‘Am y byddai’r Mab Darogan, Siôn Trefnant, yn debyg o hawlio dy esgobaeth di fel esgobaeth Gymreig.’

Chwarddodd Lewis Byford yn uchel.

‘Breuddwyd gwrach, onid e?’ meddai. ‘Y math o beth y byddwn i’n ei glywed pan oeddwn i’n fachgen. Rwyt ti wedi bod yn gwrando gormod ar y beirdd, Siôn Trefor.’

‘Dim o gwbl,’ atebodd hwnnw. ‘Marciwch chi ngair i. Cyn pen blwyddyn mi fydd yna gythrwfl mawr yn y wlad yma.’

‘Cyn pen blwyddyn’ oedd geiriau Siôn Trefor, ac yr oedd yn weddol agos i’w le. Amdanaf fy hun, fe fuaswn yn dweud i’r cythrwfl gychwyn lai na chwe mis yn ddiweddarach, pan fu farw Siôn o Gawnt, ym mis Chwefror 1399. Gyda Harri Bolingbroke yn awr yn alltud ar y cyfandir, fe fanteisiodd y brenin ar ei gyfle i chwyddo’r drysorfa at gynnal ei ymgyrch yn Iwerddon drwy feddiannu holl ystadau Siôn o Gawnt, Dug Lancaster, yn enw’r goron, a dietifeddu Harri. Gweithred bur ddiofal gan Rhisiart, fodd bynnag, oedd aros yn Iwerddon i gyfarwyddo’r rhyfel yno, gan adael Lloegr yn ddiamddiffyn. Ym mis Gorffennaf, bum mis wedi marw ei dad, fe laniodd Harri gyda byddin yn Ravenspur ar arfordir dwyrain Lloegr, a hawlio nid yn unig ei gyfiawn etifeddiaeth yn nugaeth Lancaster, ond y frenhiniaeth hefyd. Prysurodd Rhisiart yn ei ôl o Iwerddon, a chyfarfu lluoedd y ddau yn y Fflint ar y pedwerydd dydd ar bymtheg o fis Awst, lle y gorchfygwyd Rhisiart a’i gymryd yn garcharor.

Cawn wybod am y datblygiadau hyn gan y negeswyr aml a garlamai i Henffordd ac i Chwitbwrn, ac wedi brwydr y Fflint, cefais ar ddeall mai'r bwriad oedd mynd â'r carcharor Rhisiart i Lundain, a gofyn i'r Senedd ei ddiorseddu. Er bod gennyf amheuon dwfn ynglŷn ag union gyfreithlondeb hyn, yr oedd yn amlwg imi bellach na allai Rhisiart ddal ati i lywodraethu. Yr oedd wedi tramgwyddo yn erbyn gormod o bobl, yn fonedd a gwreng, i hynny. Byddai'n sicr hefyd o fod o fantais i mi, fel Esgob Henffordd, i Ddug Henffordd, a gŵr yr oedd ei wraig yn hanu o'm hesgobaeth, wisgo'r goron.

Gwyddwn i sicrwydd y byddai Siôn Trefor yn teithio i lawr i'r Senedd yn Llundain, gan mai yn ei esgobaeth ef y daliwyd Rhisiart, ac anfonais negesydd i Lanelwy yn gofyn iddo gyfarfod â mi yng Nghaerwrangon ar y ffordd. Ar y dydd olaf o Awst, yr oedd fy ngosgordd a minnau yn disgwyl ar gefn ein meirch ar lan afon Hafren, islaw cadeirlan Caerwrangon, am yr orymdaith o Ogledd Cymru. O'r diwedd, fe'i gwelem yn dod: ugeiniau o wŷr mewn arfwisgoedd trymion ar geffylau mawr, cydnerth, eu harfau a harneisiau'r meirch yn clindarddach fel clychau, eu cleddyfau a'u tariannau yn fflachio yn haul y prynhawn, a'u baneri'n cyhwfan yn falch yn y cymylau llwch a godai o'u cwmpas. Wrth weld ein mintai ni, fe arhosodd yr orymdaith.

'Pwy ydych chi?' gwaeddodd rhyw swyddog ar y blaen, a'i law ar garn ei gleddyf. 'Cyfeillion ynteu gelynion?'

'Cyfeillion,' atebais. 'Siôn Trefnant, Esgob Henffordd, a'i osgordd, yn deisyf caniatâd i gyd-deithio efo chi i'r Senedd yn Llundain.'

'Ymunwch,' ebe'r swyddog yn swta, ac ail-gychwynnodd yr orymdaith ar ei thaith.

Safasom am ysbaid, a minnau'n cadw llygad yn agored am Siôn Trefor. Aeth dwsinau o wŷr meirch heibio, ac yna un march gwyn ysblennydd, ac arfbais y brenin ar y gorchudd dan ei gyfrwy. Arno marchogai gŵr ifanc golygus, syth fel bedwen, a'i arfwisg ariannaidd yn caneitio ym mhelydrau'r haul. Yr oedd wedi diosg ei benwisg, a gallwn weld ei wyneb yn disgleirio'n fuddugoliaethus o dan ei wallt melyngoch. Y tu ôl iddo, yn cael ei thynnu gan ddau geffyl gwedd gwladaidd, yr oedd trol bren, arw, ac ynddi safai gŵr ifanc arall, nid annhebyg i'r cyntaf o ran pryd a gwedd, ond teneuach a mwy merchetaidd yr olwg arno, a'i ddwylo a'i draed mewn cadwynau. Y ddau gefnder, Harri Bolingbroke a Rhisiart. Fel hyn y bwriadai'r buddugwr ddwyn ei garcharor i mewn i ddinas Llundain.

Arosasom i rai degau'n ychwaneg o wŷr meirch fynd heibio, ac yna, wedi imi gael cipolwg sydyn ar Siôn Trefor yn eu mysg, ymunasom â chefn yr orymdaith.

* * *

'Pawb â'i awr, Siôn Trefor.'

'Dydi awr ddim yn ddigon i rai,' chwarddodd yntau.

Sgwrsio yr oeddem ar ein ffordd yn ôl i'n hesgobaethau o'r Senedd yn Llundain lle y penderfynwyd diorseddu Rhisiart. Siôn Trefor a gafodd yr anrhydedd o gyhoeddi dedfryd y Senedd. Yr oedd Rhisiart i gael ei gadw yn y Tŵr yn Llundain nes iddo arwyddo dogfen yn ymwrthod â'r goron. Yr oedd wedyn i gael ei gadw dan warchodaeth yng nghastell Pontefract yn Swydd Efrog. Yr oedd Roger Walden, Archesgob Caergaint, i goroni Harri Bolingbroke yn frenin ar fyrder. Rhyfeddais at y modd didaro y derbyniodd Rhisiart y ddedfryd. Bron na ddywedwn, ar ei olwg, fod colli ei deyrnas yn rhyddhad iddo.

'Dydw i'n dal ddim yn siŵr beth ydym ni wedi ei wneud,' meddwn.

'Wedi diorseddu'r brenin, wrth gwrs,' ebe Siôn Trefor.

'Ie, mi wn i hynny. Ond ar ba awdurdod?'

'Awdurdod y bobl, siŵr iawn.'

'Ond ai ar awdurdod y bobl y mae'r brenin yn teyrnasu, ai ynteu ar awdurdod Duw? Os ar awdurdod Duw, doedd gennym ni ddim hawl i'w ddiorseddu o.'

'Mi ychwanegaist ti dy lais o blaid hynny. Mi clywais i chdi.'

'Rydw i wedi hen arfer erbyn hyn, Siôn Trefor, â gwneud yn groes i'm cydwybod. Mae'r Eglwys yn gwneud hynny iti. Beth ydym ni'n galw'r peth? Moeseg Gristnogol? Chwilio am esgus Cristnogol dros wneud rhywbeth nad yw'n iawn.'

'A'r esgus yn yr achos hwn ydi'r bobl.'

'Ond y mae o'n gynsail peryglus iawn, Siôn Trefor. Ai llais y bobl ydi llais Duw? Ydi'r bobl i gael ethol brenin o hyn allan?'

'Fedr yr un brenin deyrnasu heb ganiatâd y bobl. Ac mi geith Harri Bolingbroke weld hynny yng Nghymru, mae arna i ofn.'

'Wyt ti'n dal i baldaruo am dy Fab Darogan, Siôn Trefor?'

'Rydw i'n dweud wrthyt ti y bydd yna nifer o

uchelwyr yng Nghymru yn cytuno efo chdi, Siôn Trefnant, ac yn bur anfodlon efo'r hyn a wnaed yn y Senedd ddoe. Mae'r werin yn gwingo dan y trethi a'r deddfau masnach. Mae gwŷr yr Eglwys yn anfodlon efo penodi Saeson yn esgobion. Mae Harri Bolingbroke mewn sefyllfa wan. Un ffagl sydd ei hangen, ac fe fydd Cymru'n wenfflam.'

'Wyt ti'n disgwyl imi gredu y bydd Cymru'n barod i godi o blaid Harri Trefynwy yn erbyn ei dad?'

'Nid o blaid Harri Trefynwy, Siôn.'

'O blaid pwy ynteu? Nid Edmwnd Mortimer. Mae hwnnw eisoes wedi talu gwrogaeth i Harri. Ac mae Edmwnd, ei nai, yn llawer rhy ifanc.'

'Gwranda, Siôn,' ebe Siôn Trefor, 'waeth iti heb â holi. Dydi'r amser ddim wedi dod. Y cwbl y medra i ei ddweud ar hyn o bryd ydi bod yna rai uchelwyr yng Nghymru sydd yn crynhoi eu gobeithion ar un dyn. Mae'n rhy gynnar eto i ddweud beth a ddaw o hynny. Pan fydd yr amser yn gyfaddas, mi gei di wybod; rydw i'n addo.'

Yr oedd hi bron wedi gorffen nosi pan gyrhaeddais adref i Chwitbwrn ddeuddydd yn ddiweddarach, ac yr oeddwn yn flinedig iawn. Wrth i mi a rhai o'm mintai gerdded i mewn i fynedfa eang y plasty, daeth un o'r gweision ataf.

'Mae yna ddau ddyn yn disgwyl am gael eich gweld, f'arglwydd esgob. Ffrancwyr.'

'Ffrancwyr?'

'Maen nhw'n siarad Cymraeg efo ni, f'arglwydd esgob, ond Ffrangeg maen nhw'n ei siarad efo'i gilydd, ac mae'n ddigon hawdd gweld ar ei bryd a'i wedd mai Ffrancwr ydi un ohonyn nhw, beth bynnag. Maen nhw yma ers ddoe, ac yn gwrthod mynd i ffwrdd. Mi gawsant lety yma dros nos.'

'Beth sydd arnyn nhw ei eisiau? Ydi o'n bwysig?'

Yr oedd hyn yn anhwylus, yn anhwylus iawn, a minnau mor flinedig. Ond yr oedd fy chwilfrydedd yn drech na'm blinder, a rhois gyfarwyddyd i'r gwas i ddod â'r Ffrancwyr bondigrybwyll ataf i'r neuadd wedi imi gael cyfle i ymolchi a newid fy nillad a chael tamaid i'w fwyta. Eistedd yr oeddwn o flaen y tân dan y simdde fawr, pan ddaeth cnoc ar y drws, ac fe welwn, yng ngolau'r ffaglau ar y muriau, ŵr yn cerdded yn fwriadus i mewn, gŵr a adwaenwn ac a gofiwn yn dda, er nas gwelswn ers y bore hwnnw, ugain mlynedd a mwy yn ôl, pan ffarweliais ag ef ar y cei bychan yn Antibes.

'Gaston!' ebychais. 'Beth yn y byd mawr . . .?'

'Siôn!' cyfarchodd yntau fi. 'Yn frith erbyn hyn, mi welaf, ond yr un hen Siôn.'

'Beth ar wyneb y ddaear ddaeth â chdi i Chwitbwrn, Gaston? Ac rydw i'n clywed fod gennyt ti gydymaith.'

'Aha, Siôn Trefnant. Amynedd. Oes yma win?'

'Ddigonedd,' atebais, ac wedi imi arllwys hwnnw: 'Rŵan, Gaston. Gad imi gael dy hanes di.'

'Mae fy hanes i, Siôn, yn ymwneud â dy hanes di, ond na wyddost ti mo hynny.'

'Fy hanes i? Ym mha ffordd?'

'Wedi imi dy adael di yn Antibes, Siôn, mi es i'n ôl i Pau. Roedd arna i angen arian, ac mi dreuliais rai misoedd yn gweithio ar y castell ardderchog yna yr oedd Gaston Fébus yn ei godi iddo'i hun yn y ddinas honno. Ond mi gefais lond bol yn llafurio efo coed a meini, ac mi ddaeth pwl o hiraeth arna i am yr hen gyfeillion yr oeddwn i wedi eu gadael ar ôl yn La Rochelle. Mi deithiais i fyny yno i geisio dod o hyd iddynt, a dod ar draws Geneviève. Wyt ti'n cofio Geneviève, Siôn?'

Cofio Geneviève? Wrth gwrs fy mod i. Geneviève lygatddu, luniaidd, gynhyrfus. Y Geneviève a fu fy unig gysur ar y daith hir honno drwy Ffrainc. Geneviève, ffrind Owain Lawgoch.

Cymerodd Gaston ddracht hir o'i wydraid gwin.

'Roedd hi'n feichiog, Siôn.'

Safodd y fflamau yn eu hunfan yn y lle tân, a rhewodd ein cysgodion ar waliau cerrig y neuadd. Rhythwn i ar Gaston, a rhythai Gaston ar ei wydryn fel pe bai'n gweld y gorffennol yn cyniwair yn y gwin coch ynddo, a gallwn synhwyro rhyw dristwch yn dygyfor yn ei galon.

'Ryw chwech wythnos wedyn, fe aned plentyn iddi. Hogyn bach. Dy blentyn di, Siôn.'

Aeth y neuadd yn gwbl ddistaw. Nid oedd yr un smic i'w glywed, ar wahân i ochain oer rhyw dylluan unig y tu allan. Syllai Gaston a minnau yn ddwys ar ein gilydd, a llewyrch fflamau'r tân a'r ffaglau ar y muriau yn chwarae yn y gwin yn ein gwydrau nes bod y golau yn y neuadd yn goch fel gwaed.

'Fe fu Geneviève farw ar enedigaeth y plentyn. Fe'i magwyd o gan rai o'n cyfeillion yn La Rochelle nes oedd o tua'r chwech oed yma. Ond yr oedd ei fam wedi sôn droeon cyn ei marw yr hoffai hi iddo gael ei ddwyn i fyny yng ngwlad ei dadau – dy wlad di, Siôn, a gwlad Owain Lawgoch. Fe'i cymerais i o i'm gofal, ac fe gychwynnodd y ddau ohonom ar y daith hir i Gymru. Wna i mo dy ddiflasu di, Siôn, efo'n hanturiaethau ni ar y ffordd. Rwyt ti wedi'i theithio hi dy hun. Ond o'r diwedd, dyma ni'n cyrraedd gororau Cymru. Roeddwn i'n chwilio am rywun a oedd yn perthyn i Owain Lawgoch, ac wedi hir holi, fe'm cyfarwyddwyd i gartref heb fod ymhell o dref Croesoswallt. Roedd o'n lle bendigedig, plasty mawr ar fryncyn bychan, a ffos o'i gwmpas, a phont godi i groesi'r ffos, to llechi ar y tŷ, a simddeiau uchel, a ffenestri o wydr lliw. Yr oedd eglwys fechan ar yr ystad, a melin a stablau a cholomendy; yr oedd yno barc ceirw a pharc cwningod a physgodlyn, a pheunod a chrehyrod, a chaeau gwair a chaeau ŷd a pherllannau. Cymaint oedd y croeso a ddangosid yno fel y dywedid na fyddai'r drws byth ar glo. A chroeso a gawsom ninnau. Yr oedd yr yswain newydd ddod adref o'r Alban, lle y bu'n brwydro ar ran y brenin Rhisiart, a phan ddywedais i wrtho imi fod yn un o filwyr Owain Lawgoch, fe'm cymerodd i i mewn i'r llys, a threfnodd i'r bachgen gael ei addysgu gyda'i chwe mab a'i bum merch. Roedd o'n hogyn disglair, a phan oedd yn un ar bymtheg oed, fe roddodd yr yswain nawdd iddo i fynd i'r brifysgol yn Rhydychen. Euthum innau i Rydychen gydag ef, yn was iddo, ac eleni mi raddiodd yn Feistr yno, ac mae ei fryd ar yr Eglwys.'

'Be ydi enw'r hogyn, Gaston?'

'Yr un enw â'i dad. Siôn. Siôn Trefnant.'

'A'r uchelwr?'

'Owain ap Gruffudd Fychan, o Sycharth ym Mhowys.'

'A pham dod yma i Chwitbwrn?'

'Fe glywodd Siôn yn Rhydychen fod gŵr o'r un enw ag o yn Esgob Henffordd. Yr oeddwn i wedi dweud wrtho erioed fod ei dad, fel minnau, yn aelod o fyddin Owain Lawgoch, ac iddo gael ei ladd mewn ysgarmes, ac fe'i perswadiais mai ewythr iddo, y mae'n rhaid, oedd yr esgob. Doedd byw na marw na châi Siôn ei ordeinio gan ei ewythr, a dyna pam yr ydym ni yma.'

'Ni?' gofynnais. 'Ydi'r hogyn hefo chdi?'

'Ydi, Siôn Trefnant. Garet ti ei weld o?'

Heb aros am ateb, cododd Gaston o'i gadair, a mynd allan o'r ystafell, gan fy ngadael yno yn syfrdan, a'm teimladau'n chwarae mig â'i gilydd. Yr oeddwn yn dad, ac yr oedd hynny'n destun llawenydd a balchder. Ond yr oeddwn hefyd yn esgob, ac yr oedd i esgob fod yn dad yn warth, er nad fi oedd yr esgob cyntaf, na'r unig esgob, i fod yn dad ychwaith; ond yr oeddwn yn dad na châi byth arddel ei fab, yn dad na chafodd erioed fagu'i fab na'i weld yn tyfu, yn dad y byddai'n rhaid iddo ymddwyn fel ewythr. Daeth ton o ddiclloned nid anghyfarwydd drosof. Beth oedd y dynged hon a roddwyd arnaf fod popeth a oedd yn annwyl imi – fy ngwlad, fy argyhoeddiadau crefyddol, ac yn awr fy mab – yn bethau esgymun y disgwylid imi gywilyddio o'u plegid? A wawriai'r dydd byth pan gâi esgob weiddi ar bennau'r tai ei fod yn Gymro, ei fod yn credu mewn rhyddid cydwybod, a'i fod hefyd yn dad balch?

Daeth Gaston yn ei ôl, a chydag ef ŵr ifanc chwilfrydig a phryderus yr olwg arno.

'Yr Esgob Siôn,' meddai, 'dyma . . . dyma Siôn Trefnant.'

Gwelwn o'm blaen un a oedd yr un ffunud ag y tybiwn fy mod innau chwarter canrif yn ôl: hogyn canolig o ran maint a llydan ei dalcen, a rhyw ddwyster yn ei wedd. Ond yn sydyn, fe wenodd arnaf, ac yn ei lygaid duon fe allwn weld eto gellwair gwahoddgar llygaid ei fam ar y traeth melyn hwnnw gynt wrth fôr glas La Rochelle.

VIII

'F'arglwydd esgob, mae yna negesydd oddi wrth Siôn Trefor yn gofyn am ateb ar frys.'

Y mae golwg gynhyrfus ar Ieuan Offeiriad.

'Mae Senedd wedi'i galw ym Machynlleth, ac fe hoffai Siôn Trefor gyhoeddi eich cefnogaeth chi yno.'

'Ydi o wedi dweud rhywbeth am Rufain, Ieuan? Wna i mo'u cefnogi nhw os ydyn nhw'n mynd i symud eu teyrngarwch i Avignon.'

Bu'r pedair blynedd diwethaf yma yn uffern ar y ddaear. Mi wyddwn ym mlwyddyn gyntaf y ganrif newydd fod pethau'n mynd i fynd o chwith. Roedd yna sôn, wrth gwrs, y deuai troad y ganrif â daeargrynfeydd a rhyfeloedd a phlâu, ac arwyddion brawychus ac anesboniadwy yn y ffurfafen. Ym mis Chwefror, rhyw ychydig wedi imi ordeinio fy mab, Siôn, a'i sefydlu yn rheithor plwyf y Rhos-ar-Ŵy, fe ddaeth y newydd am farw'r cyn-frenin Rhisiart yng nghastell Pontefract. Doedd neb yn siŵr iawn sut y bu hynny. Lleithder ac oerfel y castell a'i lladdodd, yn ôl rhai, ond yr oedd eraill yn mynnu iddo gael ei lofruddio gan gefnogwyr y brenin Harri. Doedd a wnelo mi, beth bynnag, ddim byd â'r peth, diolch i Dduw. O leiaf, fydd dim rhaid imi gyffesu imi fod â rhan mewn llofruddio brenin. Tua'r un adeg, fe gymerodd Harri ddau fab bychan Rhosier Mortimer yn garcharorion i Dŵr Llundain, prawf o'i ddrwgdybiaeth ddofn y gallai teulu Wigmor ddod yn ganolbwynt i anhunedd yng Nghymru. Ac yr oedd digon o anhunedd, yn ôl pob sôn.

Y gaeaf hwnnw, fe gurodd bardd Cymraeg ar ddrws y plasty yn Chwitbwrn. Doeddwn i erioed wedi cael bardd ar fy aelwyd o'r blaen, ond yr oedd croeso i hwn, pe na bai ond er mwyn y newyddion a gludai. Yr oedd y beirdd yn ffynhonnell mân siarad. Gorchmynnais baratoi gwledd yn y neuadd, ac ar ôl y bwyta a'r yfed, dyma ofyn i'r bardd ein diddanu. Yr oedd y byrddau yn hanner cylch, a safodd yntau yn y gofod yng ngwaelod y cylch, a chyhoeddi:

'Cywydd mawl i'r rhagorol Siôn Trefnant, Esgob Henffordd.'

Edrychai rhai o'r Saeson arno'n syn, ond yr oedd y Cymry yn ein plith wedi arfer â'r math hwn o beth, ac yn edrych ymlaen at y datganu. Aeth y bardd rhagddo ar ruthr: llinellau a chwpledau o foliant gwenieithus yn llifo'n un rhaeadr byrlymus oddi ar ei dafod, a'r cwbl wedi ei gynllunio'n ofalus, wrth gwrs, i wneud i mi deimlo'n wyn fy myd a mawrfrydig a hael:

'Nhad yn y ffydd, nid yw'n ffôl,
San Dewi yw'r Siôn duwiol.
Yn dwyn pwn ein nasiwn ni
Un sgolor mwy nis gweli.
Mynn hwn, ym mhoen ei enaid,
Groesawu'n ôl y Groes Naid.

Un fu'n was i Rufain wych,
Yn gâr i'w phabau gorwych.
A'i neuadd sy'n nawdd i sant,
Tŵr Rhufeinig Siôn Trefnant.
Ni bu esgob a wisgodd
Aur erioed mor fawr ei rodd.'

'Beth ydi'r mesur newydd siwgwraidd yma?' holais, wedi i'r bardd orffen. 'Dydw i ddim yn cofio clywed hwn gartref yn Nhrefnant gynt.'

'Mesur cywydd, f'arglwydd esgob. Dyna'r ffasiwn erbyn hyn. Mae'r beirdd i gyd yn ei ddefnyddio fo.'

'Mi welaf. A pham, ysgwn i, yr wyt ti'n disgrifio Chwitbwrn yma fel tŵr Rhufeinig?'

'Am ei bod hi'n gwbl hysbys i bawb eich bod chi'n gadarn eich cefnogaeth i Rufain, f'arglwydd esgob.'

'A'r Groes Naid, beth ydi honno?'

'Darn o wir bren Croes Crist, f'arglwydd esgob,' ebe'r bardd, gan ymgroesi. 'Fe ddaethpwyd ag ef i Brydain gan Joseff o Arimathea, a'i gyflwyno i'r brenin. Fe'i traddodwyd o dad i fab ar hyd y cenedlaethau, nes dod yn y diwedd i feddiant Llywelyn ap Gruffudd, y Llyw Olaf. Yr oedd ef yn ei wisgo ar ei fynwes pan lofruddiwyd ef ym Muallt. Fe ladratwyd y Groes gan y brenin Edward.'

'A ble mae'r Groes yn awr?'

'Yn y Tŵr yn Llundain, mae'n debyg, f'arglwydd esgob, yn cadw cwmni i hogiau Rhosier Mortimer.'

'Pam rwyt ti'n meddwl fy mod i mor awyddus i'w chroesawu hi'n ôl?'

'Am fod pob Cymro am ei gweld hi'n dychwelyd

i Gymru, f'arglwydd esgob. Mae'n arwyddlun o'n sofraniaeth ni. Mi fydd ar y Mab Darogan ei hangen hi.'

'Y Mab Darogan. Wyddost ti pwy ydi'r Mab Darogan yma?'

'Gwn, f'arglwydd esgob.'

Bu bron imi â llamu mewn cynnwrf pan glywais yr ateb hwn. Fy ngreddf oedd holi yn y fan a'r lle: 'Pwy? Pwy?', ond meddiannais fy hun. Nid rhywbeth i'w ddatgelu'n gyhoeddus oedd peth fel hyn. Cyn neilltuo am y gwely'r noson honno, dyma fi'n galw'r bardd i'm myfyrgell. Telais iddo bum morc, a rhoddais iddo chwe llath o frethyn o'r felin wlân ar f'ystad, a phâr o ysbardunau arian, ynghyd â mantell hardd o sidan ysgarlad yr anghofiodd rhywun rywdro amdani, ac a fu'n hongian mewn cwpwrdd yn y plasty ers i mi gyrraedd yno un mlynedd ar ddeg yn ôl. Yr oedd y bardd wrth ei fodd.

'Rŵan, cyn dy fod di'n mynd,' meddwn, gan roi gwydraid o win yn ei law, 'rwyt ti'n dweud dy fod di'n gwybod pwy ydi'r Mab Darogan.'

'Ydw, f'arglwydd esgob.'

'Pwy, felly?'

'Owain ap Gruffudd Fychan, f'arglwydd esgob. Owain Glyndyfrdwy.'

Mi gofiais imi glywed yr enw hwn o'r blaen. Gan bwy? Gan Gaston, wrth gwrs. Dyma'r gŵr a roes addysg i'm mab.

'Nid yr Owain ap Gruffudd Fychan sy'n byw yn Sycharth, ger Croesoswallt?'

'Ie, f'arglwydd esgob. Ond mae ganddo fo diroedd yng Nglyndyfrdwy, ger Llangollen, hefyd.

Ac fel Owain Glyndyfrdwy y mae o'n cael ei adnabod. Neu Owain Glyndŵr.'

'Mae o'n perthyn i dywysogion Gwynedd, felly?'

'Mae o'n ddisgynnydd uniongyrchol o Lywelyn Fawr o ochr ei fam. O'i hochr hi hefyd mae o'n ddisgynnydd uniongyrchol o'r Arglwydd Rhys, Tywysog Deheubarth. Ac o ochr ei dad, mae o'n ddisgynnydd o Fadog, Tywysog Powys.'

'Ac mae ganddo fo gefnogaeth?'

'Cefnogaeth fawr, f'arglwydd esgob. Mae'r mwyafrif o uchelwyr Cymru o'i blaid o. A rhai o fân uchelwyr y gororau hefyd, mi glywais.'

'Tebyg i bwy, ysgwn i?'

'Mi glywais fod yna un nid nepell o'r ardal hon. Gwallter Brut wrth ei enw.'

Gwallter Brut! Mi allaswn fod wedi meddwl.

'A beth ydi eu bwriad nhw?'

'Y bwriad ydi sefydlu Cymru annibynnol ar Loegr, rhoi chwarae teg i'r werin, a rhyddhau'r Eglwys o afael Caergaint.'

'A beth ydi barn yr Eglwys am hyn i gyd?'

'Chi ddylai wybod hynny, f'arglwydd esgob.'

'Oes yna eglwyswyr amlwg yng Nghymru yn cefnogi'r Glyndŵr yma?'

'Oes, yn bendant, f'arglwydd esgob. Mae Siôn Trefor, Esgob Llanelwy, yn un.'

'Siôn Trefor! Ond does dim blwyddyn o amser ers i Siôn Trefor ddarllen dedfryd y Senedd ar y brenin Rhisiart a thalu gwrogaeth i'r brenin Harri.'

'Mi wn i, f'arglwydd esgob. A dydi Siôn Trefor ddim yn chwarae rhan flaenllaw ar hyn o bryd. Ond mae Deon Llanelwy, Hywel Cyffin, yn agos iawn at Owain. Mae disgwyl i Owain ei gyhoeddi ei hun yn

Dywysog Cymru unrhyw ddiwrnod. A phan ddigwydd hynny, cadwed Harri Bolingbroke ei lygaid ar ei ysgwydd, ddyweda i.'

*　　　*　　　*

Bûm yn dibynnu ar negeswyr dros y pedair blynedd ddiwethaf yma. Negeswyr yn gwibio rhwng Henffordd a Llanelwy, rhwng Henffordd a Llundain, rhwng Henffordd a Rhufain, a rhwng Henffordd a lle bynnag yr oedd byddinoedd y brenin a Glyndŵr. Ar ŵyl Mathew ym mlwyddyn gyntaf y ganrif, yr oeddwn yn dathlu'r offeren yng nghapel Mair y gadeirlan pan glywais ryw gythrwfl yng nghyffiniau porth y de. Aeth Walter Pride, y deon, allan o'r capel i holi beth oedd yr achos, ac ar derfyn y gwasanaeth, fe'm gwahoddodd, a golwg bryderus iawn ar ei wyneb, i'w dŷ.

'Negeswyr oddi wrth y brenin oedd wrth y porth, f'arglwydd esgob,' meddai.

'Roeddwn i'n meddwl fod y brenin yn ymgyrchu yn yr Alban, Walter.'

'Fe fu'n rhaid iddo ddychwelyd. Mae yna derfysg yng Nghymru, f'arglwydd esgob.'

'Owain Glyndŵr?'

Edrychodd Walter Pride yn amheus arnaf.

'Fe wyddoch amdano, f'arglwydd esgob? Wedi'r cyfan, rydych chi'n un o'i gydwladwyr o.'

'Mi gefais fy rhybuddio amdano rai misoedd yn ôl, Walter. Beth sydd wedi digwydd?'

'Mae Glyndŵr wedi cweryla â'r Arglwydd Reginald de Grey o Ruthun ynglŷn â pherchnogaeth darn o dir o'r enw'r Croesau yng Nglyndyfrdwy, ac fe gymerodd fantais ar absenoldeb y brenin, sy'n adnabod Grey yn dda, i ymosod ar eiddo Grey yn Rhuthun. Fe ymosododd o a'i ddilynwyr ar y dref ar ddiwrnod marchnad, a'i llosgi hi i'r llawr, a mynd ymlaen wedyn i wneud yr un peth ym mwrdeistrefi Seisnig Dinbych, Rhuddlan, y Fflint a Holt. Fe aethant i lawr wedyn i ardal y Trallwng, ond fe'u gorchfygwyd nhw yno gan fyddin Huw Burnell o Amwythig, ac fe ffoesant. Fe ddaeth y brenin i lawr i Amwythig i oruchwylio pethau, ond y munud y cyrhaeddodd o, fe glywodd fod cefndryd Glyndŵr, Gwilym a Rhys ap Tudur, yn gwrthryfela ar Ynys Môn. Fe aeth o a'i fyddin yno, gan losgi abaty Llanfaes, yr oedd ei fynaich yn cefnogi Glyndŵr, ond fe fu'n rhaid iddyn nhw gilio i gastell Biwmares. Maen nhw wedi brwydro'u ffordd allan erbyn hyn, fodd bynnag, ac ar ymgyrch *chevauchée* drwy Ogledd Cymru.'

Mi wyddwn yn dda beth oedd *chevauchée*: ymgyrch o ysbeilio gwartheg a diadelloedd i ariannu rhyfel, ac mi wyddwn hefyd pa mor ddifaol fyddai ymgyrch o'r fath yng Nghymru, gan mai gwartheg a defaid oedd prif gyfoeth y wlad. Yr oedd meddwl am Harri ar gyrch dinistriol fel hyn drwy fynydd-dir tlawd Gogledd Cymru yn peri llawer mwy o ofid imi na'r newydd am Owain Glyndŵr yn dinistrio caer y Saeson yn fy hen dref yn Ninbych.

'Ydi Owain wedi cyhoeddi ei hun yn Dywysog Cymru?'

'Dydi'r darlun ddim yn glir, f'arglwydd esgob. Ydi, yn ôl rhai, ac wedi cael sêl bendith Deon Llanelwy ar hynny. Nac ydi, yn ôl eraill; dydi o'n ddim byd ond arweinydd gwrthryfel. Ond mae'r brenin yn cymryd y peth o ddifrif, a'r neges i ni yn Henffordd ydi inni fod ar ein gwyliadwriaeth rhag ofn i'r gwrthryfel ledu i'r ddinas hon. Dydw i ddim yn meddwl y digwyddith hynny ychwaith, f'arglwydd esgob. Tuedd y gwrthryfeloedd yma ydi chwythu eu plwc ar ôl rhai misoedd.'

Doeddwn i ddim mor siŵr. Yr Owain Glyndŵr yma, wedi'r cyfan, oedd y Mab Darogan, etifedd y tywysogion, olynydd Owain Lawgoch, y gwaredydd y bu Cymru benbaladr yn disgwyl amdano ers mwy na chanrif oddi ar ladd y Llyw Olaf. Ac yr oedd dygn angen gwaredydd. Fflachiodd i'm meddwl y darlun o gyfaill fy nhad yn cael ei lusgo y tu ôl i geffylau tua chastell Dinbych, a llais fy nhad yn fy rhybuddio: 'Dos efo'r lli, Siôn.' A oedd y lli, tybed, yn dechrau troi o'r diwedd? Yr oedd un peth yn gwbl eglur: byddai'n rhaid imi fod yn gyfrwys fel sarff. Yr oeddwn eisoes wedi cymryd rhan mewn diorseddu un brenin, ac yr oedd gennyf yn dal amheuon am hynny. Fedrwn i wynebu argyfwng arall tebyg? Ond yr oedd rhyw lais bach arall yn fy nwysbigo o rywle: 'Dydi hyn, Siôn, ddim yr un peth o gwbl. Cael gwared ar Rhisiart wnaethost ti er mwyn gorseddu brenin mwy cyfiawn yn Lloegr. Dydi llygaid Glyndŵr ddim ar orsedd Lloegr. Y cyfan y mae o'n ei hawlio ydi ei etifeddiaeth yng Nghymru, ac y mae hynny'n gyfiawn, oherwydd dim ond Cymro a fedr sicrhau chwarae teg i'r Cymry.' Daeth geiriau eraill i'm cof: llais fy nhad yn mynnu na fyddai yna fawr o obaith i'r Cymry nes byddai Cymro'n gwisgo coron Lloegr. Beth pe bai Glyndŵr â'i fryd ar hynny? Sut bynnag, byddai'n rhaid imi gofio mai esgob yn Lloegr oeddwn i, er bod llaweroedd o bobl fy esgobaeth yn siarad Cymraeg. A fyddai Cymro ar yr orsedd yn decach at y Saeson nag y bu Sais ar yr orsedd at y Cymry? Onid yr ateb rhesymol oedd Cymro yn teyrnasu yng Nghymru a Sais yn Lloegr? Ond ymhle wedyn yr oedd ffiniau Cymru? Ai Cymru'r Llyw Olaf? Ai ynteu a oedd yna achos dros ystyried y gororau Cymraeg eu hiaith yn rhan o Gymru hefyd, fel y mynnai Gwallter Brut, dyweder? Os felly, yng Nghymru ar ei phen y byddai fy esgobaeth i. A fedrwn i drosglwyddo esgobaeth Henffordd i freichiau'r Mab Darogan? A feiddiwn i wneud hynny?

Y mis Ionawr canlynol, fe gyfarfu'r Senedd, y Senedd gyntaf i'w galw ers honno a gynullwyd i ddiorseddu Rhisiart. Neuadd hirgul, a ffenestri cwarelog ar hyd y ddwy ochr hwyaf iddi, oedd y siambr ddadlau, ac ynddi resi o feinciau yn wynebu'i gilydd, y naill res yn uwch na'r llall, nes bod pennau'r sawl a eisteddai yn y rhes uchaf yn cyffwrdd bron, pan safent ar eu traed, â'r nenfwd. Barwniaid o Saeson oedd mwyafrif yr aelodau, ond yr oedd yno hefyd ieirll a dugiaid, yn ogystal â ni, yr esgobion, ac i sŵn ffanffer utgyrn, a phawb ohonom yn sefyll, fe ddaeth y brenin Harri i mewn, gyda'i fab deuddeg oed, Harri Trefynwy, Tywysog Cymru, ac eisteddodd y ddau ar orseddau ar lwyfan bychan ym mhen blaen y siambr yn wynebu'r meinciau. Syllais yn fanwl ar y brenin. Yr oedd yn ŵr trawiadol yr olwg arno, ei wyneb main, penderfynol, yn dangos awdurdod, ond nid traha; tosturi, ond nid tynerwch; tegwch, ond nid meddalwch. Yr oedd, rai misoedd ynghynt, wedi meddiannu tiroedd Owain Glyndŵr yng Nghymru, a thiroedd tad-yng-nghyfraith Owain,

Syr Dafydd Hanmer, hefyd, a'u cyflwyno i'w hanner brawd anghyfreithlon, John Beaufort, Iarll Somerset, a mawr oedd yr anfodlonrwydd am hynny ymhlith rhai.

Trafod ariannu gwahanol gynlluniau ac ymgyrchoedd y brenin, yn Ffrainc a Sbaen a'r Alban ac Iwerddon, yr oedd y Senedd. Yn sydyn, fodd bynnag, gwelais Siôn Trefor yn neidio ar ei draed.

'Eich Mawrhydi,' meddai, 'mae'n rhaid imi gael tynnu eich sylw chi a'r arglwyddi at y sefyllfa adfydus sydd ohoni yn fy esgobaeth i yn Llanelwy, ac yng Nghymru yn gyffredinol. Fe ddylwn fod wedi rhybuddio'r Senedd ddiwethaf ynglŷn â hyn, ond yr oedd ein meddyliau y pryd hynny, fel y cofiwch, ar fater arall. Mae'r werin yng Nghymru yn gwingo o dan drethi trymion sy'n cael eu codi, nid yn unig gan y brenin, ond hefyd gan arglwyddi estron ar y gororau, a than ddegymau a hawlir gan yr Eglwys. Mae yna hefyd waharddiad ar y Cymry rhag masnachu mewn trefi marchnad yn eu gwlad eu hunain a ddelir gan Saeson, ac yn ddiweddar y mae llaweroedd wedi dioddef yn enbyd yn dilyn yr ymgyrch ysbeilio a wnaeth Eich Mawrhydi yng Ngogledd Cymru.'

Daeth bloedd gan rywun o blith y barwniaid:

'Beth ydi'r ots gennym ni am y cnafon troednoeth?'

Aeth ton o chwerthin drwy'r siambr.

'Fe all troednoethni,' meddai Siôn Trefor, 'arwain at anobaith. Ac fe wyddoch yn iawn y gall anobaith arwain at wrthryfel. Eisoes y mae arwyddion o hynny yng Nghymru, a'r wlad yn tyrru o gwmpas un Owain Glyndŵr, sy'n hanu o linach yr hen dywysogion.

Mae'r sefyllfa'n beryglus. Mae myfyrwyr o Gymru ym mhrifysgolion Rhydychen a Chaergrawnt yn heidio adref i ymuno â'r achos, ac felly hefyd lafurwyr o Gymru sy'n gweithio yn Lloegr. Mae'r bobl gartref yn gwerthu'r hyn sydd ganddynt o eiddo er mwyn prynu bwâu a saethau a chleddyfau a tharіannau. Rwy'n rhybuddio'r brenin y dylai o gymryd camre i gywiro'r anghyfiawnderau sy'n corddi'r Cymry cyn iddi fynd yn rhy hwyr.'

Yr oedd sisial gelyniaethus yn y siambr. Cododd y brenin ar ei draed.

'F'arglwydd esgob,' meddai, 'mae'r gwrthryfel yng Nghymru drosodd. Ac mae'r goron yn gwbl fodlon cynnig pardwn diamod i bawb a gymerodd ran ynddo. Pawb, hynny yw, ac eithrio Owain Glyndŵr ei hun, a'i gefndryd, Gwilym a Rhys ap Tudur.'

Pardwn neu beidio, fodd bynnag, gwaethygu a wnaeth y sefyllfa y gwanwyn hwnnw. Ar ddydd Gwener y Groglith, llwyddodd Gwilym a Rhys ap Tudur i gymryd meddiant o gastell Conwy, ac anfonodd y brenin ei Brif Ustus yng Ngogledd Cymru, Harri Percy, neu Harri Hotspur, fel y gelwid ef, mab Dug Northumberland, i geisio adfeddiannu'r lle. Bu Hotspur yn gwarchae ar Gonwy am dri mis. Ym mis Mai, galwyd siryfion pedair sir ar ddeg a'u byddinoedd i gyfarfod â'r brenin yng Nghaer-wrangon ar y cyntaf o Fehefin, i ffurfio llu i geisio atal Owain Glyndŵr rhag ymosod ar gastell Cydweli. Nid ar Gydweli, fodd bynnag, yr oedd bryd Owain. Prin fod y brenin wedi cyrraedd Caerwrangon nad oedd Owain wedi gorchfygu byddin fawr o'i gefnogwyr yn Hyddgen ar

Bumlumon. Oddi yno, teithiodd ef a'i finteioedd i Faesyfed, a llosgi abaty Cwm Hir a chastell Maesyfed. Aethant wedyn i Drefaldwyn a'r Trallwng, ond yn y Trallwng fe'u gorchfygwyd gan John Charlton, Arglwydd Powys, a'u gorfodi i gilio. Erbyn mis Tachwedd, yr oedd y brenin yn sôn am wneud cytundeb heddwch ag Owain, ond yn dal – o dan ddylanwad Iarll Somerset, yn ddiau – yn amharod i roi iddo ei diroedd yn ôl. Dechreuodd Owain chwilio am gefogaeth Siarl VI, brenin Ffrainc, a Robert II, brenin yr Alban, a thywysogion Iwerddon. Yr oedd bellach wedi'i gyhoeddi ei hun yn Dywysog Cymru, mewn gwrthwynebiad i Harri Trefynwy, ond heb dynnu'n ôl yn ffurfiol ei wrogaeth i goron Lloegr.

Yn fy esgobaeth i yn Henffordd, dinistriwyd cryn hanner cant o eglwysi yn ystod y blynyddoedd hyn, ac yr oedd minteioedd rhyfelgar o Gymry yn llosgi a dinistrio yn gyson yng nghyffiniau'r ddinas.

* * *

Ddechrau'r haf ddwy flynedd yn ôl, fe ddaeth y gomed – yr arwydd yn y ffurfafen y bu darogan amdano ar droad y ganrif. Hongiai yn wybren y nos am wythnosau, yn gylch o olau clir fel crisial, fel pe bai rhyw dduw unllygeidiog yn gwylio mân gampau dynionach ar y ddaear. Yr oedd y gomed, meddid, yn rhagfynegi rhyfeloedd ac afiechydon, ac yn arwydd o ddicllonedd Duw. Nid hi oedd yr unig arwydd ychwaith. Ddiwedd Mai, daeth hanes brawychus o blwyf Danbury yn Swydd Essex. Ddygwyl Corff Crist, yr oedd y diafol wedi dod i mewn i'r eglwys yno, wedi'i wisgo fel mynach, ac wedi ymosod ar aelodau'r gynulleidfa ac anafu un ohonynt yn ddifrifol. Gwnaeth ddifrod sylweddol i'r tŵr, a gadawodd y fath ddrewdod ar ei ôl yn yr eglwys fel na fyddai'n bosibl ei defnyddio am fisoedd. Yna, fe ddihangodd. Gwelodd y gynulleidfa ef yn carlamu nerth ei garnau at lidiart yr eglwys, ac yna'n diflannu mewn cwmwl o fwg. Mynnai rhai mai cosb am ddiorseddu Rhisiart, y brenin cyfreithlon, oedd y digwyddiadau rhyfedd ac ofnadwy hyn. Mynnai eraill fod Rhisiart yn dal yn fyw, ac yn cael lloches gan frenin yr Alban. Yr oedd yn amlwg i bawb fod newidiadau cataclysmig yn y gwynt.

Un o'r rhyfeddodau lleiaf, felly, oedd y newydd a ddaeth ddiwedd Ebrill fod lluoedd Owain Glyndŵr wedi llwyddo i ddal Reginald de Grey, arglwydd Rhuthun, a'i garcharu yn Llansanffraid Glyndyfrdwy. Ddeufis yn ddiweddarach, fe farchogodd Gwallter Brut, ynghyd â gosgordd sylweddol o wŷr arfog, i fuarth fy mhlasty yn Chwitbwrn, a mynnu fy mod yn rhoi gwrandawiad iddo.

'Siôn Trefnant,' ebe Gwallter, 'roeddwn i wedi mawr obeithio na fyddai'n rhaid imi byth osod fy llygaid ar dy wyneb di eto. Ond yr ydw i yma heddiw yn gennad oddi wrth Owain Glyndŵr, i roi gwybod iti am dynged un o wŷr pwysicaf dy esgobaeth.'

'Pwy, felly?' holais yn lluddedig. Yr oedd digwyddiadau'r misoedd diwethaf yn dechrau gadael eu hôl arnaf.

'Syr Edmwnd Mortimer o Wigmor,' ebe Gwallter yn falch, gan wylio fy ymateb yn ofalus. Ceisiais innau ymddangos mor ddidaro ag y medrwn.

'Dydi Glyndŵr erioed wedi niweidio Syr Edmwnd?' meddwn. 'Mae gan nai Syr Edmwnd gystal hawl ar yr orsedd â Harri Bolingbroke, ac fe fyddai llawer o Gymry yn falch o'i weld o'n frenin ryw ddydd. Mi allai Syr Edmwnd fod yn ffrind da a defnyddiol i Lyndŵr.'

'Mae Syr Edmwnd hefyd,' meddai Gwallter, 'yn frawd-yng-nghyfraith i Brif Ustus y brenin yng Ngogledd Cymru, Harri Hotspur. Chwaer Syr Edmwnd, Elisabeth, ydi gwraig Hotspur. Mae Syr Edmwnd ar hyn o bryd yn gwneud beth bynnag a ddywed Hotspur wrtho. Felly, roedd angen dysgu gwers i Hotspur ac yntau.'

'Ac fe ddoist ti yma i'm hysbysu i eich bod chi wedi gwneud hynny?'

'Yn union felly, Siôn Trefnant. Y gomed yma – mae hi'n rhagfynegi buddugoliaeth i'r Cymry, yn union fel yn achos y gomed honno a ymddangosodd cyn dyfod Uthr Bendragon ac Arthur i arwain yr hen Frythoniaid i fuddugoliaeth gynt. Ar brydiau, o'i gwylio'n ofalus, mae hi'n ffurfio llun draig yn yr wybren. Mae'r ddraig yn esgyn, Siôn Trefnant, i ysu nid yn unig y llew Seisnig ond y butain Fabilonaidd fawr hefyd, Rhufain ei hun. Mi ddywedais i wrthyt ti y byddem ni'r Cymry yn cefnu ar Bab Rhufain. Mae yna eisoes sôn y byddwn ni'n troi'n fuan at Bab Avignon.'

'Wnei di ddweud wrthyf fi, Gwallter, beth sydd wedi digwydd i Edmwnd Mortimer?'

'Fe aeth Glyndŵr,' meddai Gwallter yn bwyllog, gan sawru ei stori, 'i feddiannu arglwyddiaeth Maelienydd, sy'n rhan o ystad y Mortimeriaid. Fe ddaeth Syr Edmwnd i amddiffyn ei eiddo, ac fe gyfarfu'r ddwy fyddin mewn lle o'r enw Bryn Glas, ger Pyllalai. Yr oeddwn i yno, a'th hen athro, Gerallt Ddu, gyda mi. Gallaf ddweud inni ennill buddugoliaeth ysgubol. A hyn sy'n dda, Siôn Trefnant, fe lwyddodd rhai o'n hogiau ni i ddal Syr Edmwnd, ac mae o bellach yn cadw cwmni i Reginald Grey yng ngharchar Llansanffraid Glyndyfrdwy.'

'A pham dod bob cam i Chwitbwrn i ddweud y pethau hyn wrthyf fi?'

'Dau reswm, Siôn Trefnant. Yn gyntaf, fe ŵyr yr Arglwydd Owain dy fod di'n gyfeillgar â'r Mortimeriaid . . .'

'Lol i gyd,' meddwn. 'Fe roddodd tad Syr Edmwnd nawdd imi i fynd i Rydychen, ond doeddwn i ddim yn ei adnabod o. Mi fûm i'n siarad efo Rhosier, ei frawd, ryw unwaith neu ddwy, ac efo Syr Edmwnd ei hun unwaith. Dydi hynny ddim yn fy ngwneud i'n gyfaill i'r teulu, ac os ydi Glyndŵr yn credu fod gen i unrhyw ddylanwad arnyn nhw, gyda golwg ar dalu pridwerth Syr Edmwnd, waeth iddo fo anghofio'r peth ddim.'

'Yr ail reswm,' meddai Gwallter, gan fy llwyr anwybyddu, 'ydi bod yr Arglwydd Owain am ddangos y gall o daro pwy bynnag a fynn, a lle bynnag y mynn, ac y mae hynny mor wir am ddinas Henffordd a'i chadeirlan ag yr oedd o am Faelienydd.'

'Wyt ti'n fy mygwth i, Gwallter Brut?'

'Dy rybuddio di, Siôn Trefnant, dyna'r cyfan.'

Cododd Gwallter ei fraich dde at ei fynwes mewn ystum o saliwt, a throes ar ei sodlau a chychwyn allan yn fwriadus, fel pe bai materion o bwys yn galw am ei sylw. Cyn cyrraedd y drws, safodd, a throi yn ei ôl i edrych arnaf.

'Un peth arall, Siôn Trefnant. Ym mrwydr Pyllalai, fe fu farw hen athro arall iti. Madog. Y Brawd Madog. Wyt ti'n ei gofio fo? Fe ddaeth o a Gerallt Ddu yn gyfeillion ar y daith i Faelienydd. Roedd Madog yn llawer gwell dyn na'i ddisgybl.'

Brasgamodd drwy'r drws, gan fy ngadael yn syllu'n syn ar ei ôl. Cofiais am yr hyn a glywswn am eni Edmwnd Mortimer: sut yr oedd ceffylau ei dad y diwrnod hwnnw yn sefyll hyd at eu pengliniau mewn gwaed, a sut yr oedd gwaed yng ngwain cleddyf pob milwr yn y teulu, a sut y gwrthodai'r baban Edmwnd gysgu yn ei grud heb i rywun yn gyntaf ddangos cleddyf neu fwa saeth neu bicell iddo. Yr oedd y llanw gwaed o Wigmor bellach wedi traflyncu un a fu unwaith yn annwyl iawn i minnau.

Cyfarfu'r Senedd yn Llundain y mis Hydref hwnnw, ac yr oedd yn amlwg fod y barwniaid o Saeson yn udo am ddialedd ar Owain Glyndŵr a'i gefnogwyr. Bu'n rhaid i Siôn Trefor a minnau eistedd yn gwrando ar res o ddeddfau yn cael eu cynnig i gosbi'r gwrthryfelwyr yng Nghymru, a'r brenin yn ymateb i bob un â'r geiriau, '*Le roi le voet*'. Ni châi'r un Cymro, oni bai fod ei ffyddlondeb i'r brenin uwchlaw amheuaeth, eistedd mewn barn ar Sais; ni châi ddwyn arfau na gwarchod castell; ni cheid cludo cyflenwadau o fwyd a diod ac arfau ond i gestyll a threfi a ddelid gan Saeson; yr oedd y beirdd i gael eu gwahardd; ni châi Sais a briodai Gymraes ddal swydd gyhoeddus. Tynnwyd sylw at garcharu Reginald de Grey, ond ni soniwyd yr un gair am dynged Edmwnd Mortimer.

'Mae Bolingbroke yn ddigon balch fod Mortimer, fel ei ddau nai, yng ngharchar,' sibrydodd Siôn

Trefor yn fy nghlust. 'Mae'n lleihau'r bygythiad i'r orsedd. Thalith o byth am ei ryddhau o.'

'Mi dalai iddo fo wneud,' sibrydais innau. 'Mi fedrai Mortimer fod o gymorth mawr iddo i warchod gororau Cymru.'

'Mi fedrai fod o gymorth i'r Arglwydd Owain hefyd,' meddai Siôn Trefor, gan wincio'n awgrymog arnaf.

Unwaith eto, fe deithiodd y ddau ohonom yn ôl am adref gyda'n gilydd, a chan ei bod yn dywydd stormus, a'r afonydd yn gorlifo dros eu glannau, gwahoddais Siôn Trefor i aros yn Chwitbwrn nes deuai pethau'n well. Bu yno am ddyddiau, heb ymddangos ei fod mewn unrhyw frys i ddychwelyd i Lanelwy. Ar yr unfed dydd ar ddeg o fis Tachwedd, daeth y newydd fod y brenin wedi talu un fil ar ddeg o forciau am ryddhau Reginald de Grey, cyfraniad tra sylweddol at goffrau rhyfel Glyndŵr. Yr oedd, fodd bynnag, wedi gwrthod talu pridwerth Edmwnd Mortimer. Yn fuan wedyn, cawsom wybod fod Glyndŵr wedi rhyddhau Edmwnd, ar yr amod ei fod yn ymuno â'r gwrthryfel ac yn priodi merch Glyndŵr, Catrin.

'Clyfar dros ben,' gwynfydai Siôn Trefor. 'Dyna'r Arglwydd Owain wedi cael y Mortimeriaid ar ei ochr. Ac y mae gan y Mortimeriaid hawl ar orsedd Lloegr. Os oes rhywrai y mae ar Bolingbroke eu hofn, y Mortimeriaid ydi'r rheini, ac mi fydd Mortimer a Glyndŵr efo'i gilydd yn fygythiad enbydus iddo fo.'

'Mae Edmwnd yn herio'r brenin,' meddwn i. 'Chaiff Sais sy'n priodi Cymraes ddim dal swydd gyhoeddus o hyn allan, cofia.'

'Os ydi'r hyn sy'n cael ei ddweud am yr hyn a wnaeth merched Cymru i gyrff y gelyn ym Mhyllalai yn wir,' chwarddodd Siôn Trefor, 'fydd yna'r un Sais yn ei iawn bwyll yn dymuno priodi'r un ohonyn nhw.'

'Mae'n dra phosibl nad ydi o ddim yn ddymuniad gan Edmwnd Mortimer ychwaith. Fu yna erioed briodas fwy gwleidyddol. A chofia di, Siôn Trefor, fod Edmwnd yn frawd-yng-nghyfraith i Harri Hotspur. Synnwn i damaid nad cam nesaf Glyndŵr fydd ceisio tynnu hwnnw i'w ochr.'

'Mi geisith Glyndŵr dynnu pawb i'w ochr,' ebe Siôn Trefor, 'gan dy gynnwys di a minnau.'

* * *

Does dim naw mis ers pan laddwyd Hotspur. Daeth fy mhroffwydoliaeth amdano yn wir ar y degfed dydd o fis Gorffennaf y llynedd, pan gyhoeddodd yn ninas Caer ei fod yn ymgynghreirio ag Owain Glyndŵr ac Edmwnd Mortimer, gyda'r bwriad o osod nai Edmwnd, mab hynaf Rhosier Mortimer, ar orsedd Lloegr, a sefydlu Glyndŵr yn Dywysog Cymru. Aethai Hotspur yn gandryll o'i gof am i'r brenin wrthod talu pridwerth ei frawd-yng-nghyfraith, ond yr hyn a'i gyrasai i ben ei dennyn oedd i Bolingbroke hawlio fod Hotspur yn trosglwyddo i'w ofal ef yr Iarll Douglas, arweinydd y gwrthryfel yn yr Alban, a gymerasai Hotspur yn garcharor yn dilyn ei fuddugoliaeth ysgubol yn erbyn yr Albanwyr y mis Medi cynt. Prin bythefnos, fodd bynnag, a barhaodd y cynghrair rhwng Glyndŵr, Mortimer a Hotspur. Cyfarfu byddin Hotspur â byddin y brenin yn Amwythig ar yr unfed dydd ar hugain o fis Gorffennaf, a'r brenin a fu'n fuddugol. Crogwyd a chwarterwyd Hotspur. Y mae pedwar aelod ei gorff yn hongian ar hyn o bryd ar waliau dinas Caer, a'i ben yn pydru ar bicell ar wal y Tŵr yn Llundain.

Yn y cyfamser, yr oedd lluoedd Glyndŵr yn dal i losgi a difa yng Nghymru a'r gororau. Yn ystod y gaeaf cyn i Hotspur ymuno â hwy, goresgynnwyd cestyll Caerdydd a'r Fenni, a llosgwyd trefi Brynbuga, Caerllion a Chasnewydd. Ceisiodd y brenin ymateb drwy anfon tair byddin i Gymru, un o Gaer, un o Amwythig, ac un a gynullwyd ar garreg fy nrws i yn Henffordd, ond fe'u trechwyd gan yr elfennau. Lluchiodd Cymru ei thywydd gwaethaf atynt: ei glaw yn saethau, ei chesair yn bicellau, ei mellt yn belennau tân, a'i tharanau yn bystylad mil o feirch. Oni bai am ei arfwisg drom, byddai'r brenin ei hun wedi cael ei ladd pan gwympodd polyn ei babell ar ei ben yn ystod storm ddychrynllyd. Pa ryfedd fod y Saeson yn argyhoeddedig fod Glyndŵr yn ddewin a allai droi hyd yn oed rymusterau natur yn eu herbyn?

Yn gynnar y gwanwyn canlynol, mi glywais fod y gwrthryfelwyr wedi llosgi cadeirlan Llanelwy, ynghyd â phalas yr esgob a thai'r canoniaid. Anfonais negesydd i geisio mwy o wybodaeth gan Siôn Trefor, ond daeth hwnnw'n ôl heb ateb, ond gyda'r newydd fod Siôn Trefor wedi derbyn ei benodi'n arglwydd raglaw i Harri Trefynwy, Tywysog Cymru, yn Sir y Fflint a Swydd Gaer. Achosodd hyn gryn benbleth imi. Roedd Siôn Trefor bob amser wedi rhoi'r argraff mai Glyndŵr – y Mab

Darogan, chwedl yntau – oedd Tywysog Cymru iddo ef. Pam, felly, derbyn penodiad gan Dywysog Seisnig Cymru, Harri Trefynwy? Ai cosb am hynny oedd llosgi cadeirlan Llanelwy a'i thai? Anfonais nifer o negeswyr i geisio sicrhau beth oedd bwriadau Siôn Trefor, ond ni lwyddodd yr un ohonynt i gael gwrandawiad ganddo, heb sôn am ateb.

Tua Chalan Mai, felly, mi benderfynais mai'r unig beth amdani oedd teithio i Lanelwy fy hun. Roedd hi'n daith dridiau, ac wrth i'm gosgordd a minnau deithio drwy Leominster a Thref-y-clawdd a'r Trallwng a Chroesoswallt, yr oedd olion y gwrthryfel i'w gweld yn glir: tai ac eglwysi wedi'u llosgi hyd at eu sylfeini, y caeau yn aml yn fôr o fwd, a'u gwartheg a'u defaid wedi diflannu. Ambell waith, deuem ar draws grwpiau bychain o deuluoedd newynog a charpiog yn begera ar y ffordd, teuluoedd a oedd wedi colli'r cyfan a feddent naill ai i fyddinoedd Harri neu i ddilynwyr Glyndŵr, ac a oedd yn awr yn llochesu mewn coedwigoedd neu ogofeydd. Unwaith, gwelsom gyrff dau ddyn yn crogi oddi ar dderwen ar ben bryncyn bychan. Wrth inni nesáu at Lanelwy, gwelem fod y gadeirlan yn wir wedi'i difrodi, ond nid i'r fath raddau ag yr oeddwn wedi ofni. Yr oedd ei muriau gwynion yn dal yn gyfain, er bod ei tho yn dwll rhwth y byddai'n rhaid ei atgyweirio ar frys i osgoi mwy fyth o ddifrod.

Cawsom ar ddeall fod Siôn Trefor yn dal i fedru byw ym mhalas yr esgob, a'i fod yn digwydd bod gartref, ac wedi inni ein cyflwyno ein hunain wrth borth y palas, fe gefais ei weld ar unwaith. Yr oedd golwg ffyniannus iawn arno, a'i hwyliau'n ardderchog.

‘Croeso i Armagedon,’ meddai’n siriol. ‘Ydi Henffordd acw’n dal ar ei thraed?’

‘Ydi, hyd yma,’ atebais, ‘ond fe fûm i’n poeni am Lanelwy.’

‘Poeni am Lanelwy, Siôn Trefnant? Gad ti Lanelwy i mi.’

‘Pam na fuaset ti’n ateb fy llythyrau i, Siôn?’

Nid atebodd Siôn Trefor. Yn hytrach, tywysodd fi i’w fyfyrgell, a galw am win.

‘Fe allai pethau fod yn waeth,’ meddai. ‘Rydw i’n dal i fedru defnyddio’r tŷ yma, fel y gweli di. Ond mae angen to newydd cyfan ar y gadeirlan.’

‘Mi gei di gymorth gan y brenin at hynny, siawns.’

‘Y brenin, wir.’ Poerodd Siôn Trefor y geiriau o’i enau. ‘Mae’r brenin eisoes wedi cyfrannu. A wyddost ti faint roddodd o, Siôn? Un morc ar ddeg yn unig. Mae’r rhyfel yma’n gwasgu ar ei goffrau, mae’n rhaid. Sawl llechen gaf i am un morc ar ddeg, ysgwn i?’

‘Rydw i’n clywed dy fod di wedi derbyn swydd yn rhaglaw iddo fo, Siôn Trefor?’

‘I’w fab o, Harri Trefynwy. Rhaglaw yn Sir y Fflint a Swydd Gaer. Roedd yn rhaid imi dderbyn. Mi fyddai gwrthod yn awgrymu fod yna ryw ddrwg yn y caws.’

‘A dyna pam, debyg, y llosgwyd y gadeirlan?’

Edrychodd Siôn Trefor arnaf yn hanner cellweirus.

‘Bobl bach, nage. Dim o gwbl.’

Cododd o’i gadair, a daeth ataf, a sibrwd yn fy nghlust:

‘Fi ofynnodd iddyn nhw.’

‘Ti ofynnodd iddyn nhw!’ ebychais.

‘Paid â gweiddi, Siôn Trefnant. Does wybod pwy sy’n gwrando – nac yn ymyrryd efo llythyrau ychwaith, pe bai’n dod i hynny. Ond fi ofynnodd iddyn nhw, mae’n ddigon gwir. Mae Owain Glyndŵr yn ysgubo popeth o’i flaen. Mae yna sôn y bydd Harri Hotspur yn ymuno â Mortimer ac yntau unrhyw ddiwrnod bellach. Mae tywysogaeth Cymru o fewn dim i fod yng ngafael Owain. Roedd arna i angen esgus i ymuno efo fo.’

‘Mi fuaswn i’n meddwl mai esgus iti gefnu arno fo fyddai llosgi dy gadeirlan di.’

‘Na, na, Siôn. Fel arall. Mi fedra i ddweud wrth y brenin rŵan fy mod innau, fel Mortimer, wedi cael fy ngorfodi i ymuno, ac y bydd pethau’n waeth fyth arna i os na chefnoga i’r gwrthryfel.’

‘Ti fydd yr unig esgob ar ochr Glyndŵr, Siôn Trefor.’

‘Wn i ddim am hynny. Mae yna si o’r Curia fod Boniffas yn bwriadu penodi Lewis Byford yn Esgob Bangor, ac mae Byford yn gefnogol. A beth am Esgob Henffordd?’

‘Mae Esgob Henffordd mewn cyfyng-gyngor,’ atebais. ‘Yn bersonol, mi fuasai’n dda gen i weld mab Rhosier Mortimer ar yr orsedd yn Lloegr. Ei daid o, wedi’r cyfan, roddodd gychwyn i’m gyrfa i, a dydw i erioed wedi bod yn dawel fy meddwl inni wneud y peth iawn yn gorseddu Harri Bolingbroke. Ac mi fuasai’n dda gan fy nghalon i weld Owain Glyndŵr yn Dywysog Cymru, a’i Gymru o, yn ôl pob tebyg, yn cynnwys f’esgobaeth i. Pe bai hi’n gwbl amlwg mai dyna gyfeiriad y lli, mi fuaswn i’n ystyried mynd efo fo. Ond dydw i ddim yn berffaith siŵr eto mai felly y mae hi. Ac y mae arna i ofn hefyd i Gymru annibynnol droi at Bab Avignon, er mwyn cael cefnogaeth brenin Ffrainc. Fy hun, fedrwn i byth gefnu ar Boniffas. Pe bai fy nhywysog yn troi at Avignon, a minnau'n glynu efo Rhufain, mi gollwn fy swydd. Fe benodai Pab Avignon esgob i Henffordd yn fy lle.'

'Fyddai Lewis Byford ddim yn fodlon troi at Avignon chwaith,' meddai Siôn Trefor. 'Dydi Avignon ddim yn rhan o'n cynlluniau ar hyn o bryd.'

Dyna'r tro olaf imi weld Siôn Trefor – rhyw ddeufis cyn dienyddio Hotspur. Yr oedd yr achlysur hwnnw, wrth gwrs, yn rhybudd brawychus o'r hyn a ddigwyddai i elynion y brenin. Ond yn yr un mis ag y crogwyd Hotspur, fe gwympodd cestyll Carreg Cennen a Chaerfyrddin a Chastellnewydd Emlyn i ddwylo Glyndŵr. Trefnodd y brenin gyrch arall i Gymru, ond, ar wahân i adennill castell Caerfyrddin, bu hwn eto yn aflwyddiannus. Ym mis Tachwedd, daeth y newydd fod llynges o Ffrainc wedi glanio yng Ngwynedd, a'i bryd ar ennill castell Caernarfon i'r gwrthryfelwyr. Ym mis Tachwedd hefyd – mis Tachwedd y llynedd – fe ddaeth llythyr oddi wrth Siôn Trefor yn fy hysbysu ei fod o'r diwedd wedi cefnu ar y brenin, ac wedi talu gwrogaeth yn ffurfiol i Owain Glyndŵr, Tywysog Cymru. Erfyniai arnaf finnau i wneud yr un peth, ac i anfon fy ateb iddo ar fyrder.

Dydw i byth wedi ateb. Ddeuddydd cyn y Nadolig y llynedd, fe'm trawyd yn wael.

IX

Cefais drawiad arall y bore yma. Yr oedd Ieuan Offeiriad newydd fy helpu i godi o'r gwely, pan deimlais yr ysictod cyfarwydd yn dod drosof, ac euthum yn fy ôl i orwedd. Ond y mae'r trawiad hwn yn waeth na'r un a gefais o'r blaen. Nid wyf wedi gallu symud fy mraich dde ers wythnosau, ond mi sylweddolais, yn fuan wedi mynd yn ôl i'r gwely fore heddiw, na allwn symud fy nghoes dde ychwaith, ac y mae poen difrifol ar draws fy mynwes. Y mae popeth yn yr ystafell yn ymddangos yn ddieithr ac yn bell, ac y mae Ieuan Offeiriad yn edrych yn ofidus ac od arnaf.

'Mi af i nôl eich nai, f'arglwydd esgob.'

Ŵyr Ieuan ddim amgen, wrth gwrs, nad nai imi yw Siôn, fy mab.

Ychydig ddyddiau'n ôl, fe ddaeth Siôn i ymweld â mi.

'Dod yma i ofyn ffafr yr ydw i, f'ewyrth,' meddai'n betrus.

'Gofyn ffafr?' holais. 'Mi wyddost y cei di beth bynnag sydd arnat ti ei eisiau, dim ond iti ofyn.'

Gwingodd Siôn yn anniddig yn ei gadair.

'Gofyn yr ydw i,' meddai, 'am gael fy rhyddhau am rai misoedd o reithoriaeth y Rhos-ar-Ŵy.'

'Pam hynny?' gofynnais. 'Oes yna ryw anhunedd?'

'Nac oes, dim o gwbl,' atebodd Siôn. 'Ynof fi y mae'r anhunedd, f'ewyrth, nid yn y plwyf.'

'A pha anhunedd sydd ynot ti, Siôn?'

Cododd Siôn ar ei draed, a cherdded at y ffenestr, a syllu allan drwyddi, a'i gefn ataf.

'Mi gefais i fagwraeth ryfedd,' meddai. 'Roedd fy nhad a'm mam wedi marw – fy mam ar fy ngenedigaeth, a'm tad beth amser cyn hynny.'

'Mae yna ddigonedd o blant yn yr un sefyllfa, Siôn,' meddwn, yn fwy i'm cysuro fy hun nag i'w gysuro ef.

'O, mi wn i hynny, f'ewyrth. A does gen i ddim lle i gwyno. Mi gefais i fagwraeth ofalus iawn. Ac y mae'n rhaid imi ddiolch am hynny i un dyn yn arbennig.'

'Gaston?'

'Ie, Gaston. Ac y mae yna gyfle rŵan imi dalu'r gymwynas i Gaston yn ôl.'

'Talu'r gymwynas?'

'Ie, f'ewyrth,' ebe Siôn, gan droi i'm hwynebu. 'Mae Gaston yn swyddog uchel ym myddin Owain Glyndŵr. Mae Glyndŵr am anfon dirprwyaeth yn fuan at Siarl VI, brenin Ffrainc, i ofyn iddo anfon cynrychiolwyr i'r Senedd a alwyd ym Machynlleth yn hwyrach eleni, ac mae o wedi gofyn i Gaston fod yn aelod o'r ddirprwyaeth. Mae hynny, wrth gwrs, yn gwneud synnwyr, am mai Ffrangeg ydi iaith gyntaf Gaston. Fe fu o hefyd yn ymladd dros frenin Ffrainc efo Owain Lawgoch, ac y mae o'n adnabod Ffrainc fel cefn ei law.'

'Ydi, mi wn,' meddwn. 'Hynny ydi, mi glywais.'

'Ffrangeg ydi fy iaith gyntaf innau,' meddai Siôn. 'Fy unig iaith, nes imi ddod i fyw i Gymru. Ac y mae Glyndŵr wedi gofyn i minnau fynd efo'r ddirprwyaeth. Ac mi garwn i fynd. Mi fedrwn i felly dalu'r gymwynas, nid yn unig i Gaston, ond i'r Arglwydd Owain hefyd. Fo, wedi'r cyfan, dalodd am f'addysg i.'

'Mae o'n ddyn peryglus, Siôn,' meddwn.

'Peryglus?' chwarddodd Siôn. 'Mae o'r uchelwr mwynaf a chywiraf a wisgodd esgid erioed, yn ysgolhaig o Ysbyty'r Gyfraith yn Llundain, ac wedi gwasanaethu ym myddin y brenin Rhisiart. Mi wn i fod y Saeson yn ceisio'i ddarlunio fo fel gwylliad, ond bonheddwr egwyddorol ac anrhydeddus ydi f'Arglwydd Owain, ac mi fyddai'n anrhydedd i mi gael gwneud rhyw gymwynas fach fel hyn ag o.'

'Mi welaf,' meddwn yn sych.

'Ond fynna i ddim gadael fy mhlwyf yn y Rhos-ar-Ŵy heb ofal ysbrydol, f'ewyrth. Mi allwn benodi ficer i wneud fy ngwaith, a thalu iddo fy hun, wrth gwrs, ond dydw i ddim yn credu mewn cymryd degwm plwyf a pheidio â mynd ar ei gyfyl. Dyna pam yr ydw i'n gofyn ichi fy rhyddhau i.'

Cyfarfu ein llygaid am ennyd, a gwelwn yn ei lygaid tywyll ef lygaid duon ei fam yn ymbil arnaf ar draeth La Rochelle: 'Oes raid iti fynd rhagot ar dy daith, Siôn?'

'O'r gorau, Siôn,' meddwn. 'Dyma fi'n dy ryddhau di o reithoriaeth y Rhos-ar-Ŵy o'r munud hwn. Mi gei di fynd i Ffrainc, chdi a Gaston, gyda sêl fy mendith i a'm dymuniadau da. Ond ar un amod.'

'A beth ydi honno, f'ewyrth?'

'Dy fod di'n aros yma yn Henffordd am ychydig ddyddiau cyn cychwyn.'

'Mi wna i hynny'n llawen, f'ewyrth. I beth?'

Doedd gen i ddim ateb i'r cwestiwn hwn. Roedd arna i eisiau dweud: 'I gadw cwmni i'th dad, fy mab,' ond yr oedd hynny'n amhosibl. Roedd arna i eisiau dweud hefyd: 'Am fy mod i'n synhwyro fod y diwedd yn agos,' ond fedrwn i ddim dweud hynny chwaith.

'Dim ond am fy mod i'n gofyn, Siôn,' meddwn yn wan. 'Dim ond am fy mod i'n gofyn.'

* * *

Mae'r pwl yma'n gwaethygu. Rydw i'n teimlo fy nerth fel pe bai'n llifo ohonof i mewn i ddillad y gwely, ac allan ohonynt hwy i'r awyr yn yr ystafell, ac yn gwasgaru oddi yno drwy'r ffenestr agored i ymgymysgu ag awelon yr haf cynnar uwch toeau Henffordd, cyn cael ei gludo i'r gogledd gan wynt mwyn y de, i gyfeiriad fy Chwitbwrn annwyl, a'i lawntydd gwastad, gwyrddion, ar lan afon Teme. Rydw i'n gweld fy nerth yn cyniwair yno ymhlith petalau pinc blodau'r coed ceirios, ac yn chwalu'r cynffonnau ŵyn bach ar y coed cyll yn bowdwr â'i gusan. Rydw i'n ei deimlo fo'n disgyn at donnau bychain, byrlymus, yr afon, ac yn cymryd ei oglais gan eu ffresni, cyn codi heibio'r perthi beichiog i ddawnsio gyda'r ehedydd a'r fronfraith a'r dryw, ac esgyn wedyn, esgyn ac esgyn, tua'r haul crasboeth, i gael ei losgi a'i ysu yn ei belydrau tân, a'i daflu'n llwch anweledig i'r pedwar gwynt.

Daw Ieuan Offeiriad i mewn i'r ystafell ar frys, ac y mae'r Deon Walter, a Siôn, fy mab, gydag ef.

'Dydi o ddim wedi gwneud ei gyffes,' mi glywaf Ieuan yn dweud wrth y deon.

Daw'r deon ataf, a gallaf ei weld yn gwyro drosof uwchben y gwely.

'F'arglwydd esgob. Ydych chi'n fy nghlywed i, f'arglwydd esgob?'

'Ydw, Walter,' meddaf yn floesg, ond y mae fy llais yn swnio fel pe bai'n dod o ryw ddyfnder mawr. O'r dyfnder y gelwais arnat, Arglwydd. O ddyfnder uffern. Disgynnodd i uffern. I beth y disgynnodd Crist i uffern? I achub eneidiau'r rhai a garcharwyd yno. Rhaid imi gadw fy enaid rhag poenau uffern, lle y mae epil Efa yn ymgordeddu'n nwydus gyda'r creaduriaid hanner blaidd, chwarter arth, chwarter dyn, a'r diafoliaid cochion yn procio trueiniaid gwallgof â'u heyrn gwynias. Rhaid imi gadw o uffern, lle y crogir ac y chwarterir ac y diberfeddir dyn droeon y dydd, a'i hoelio ar bared i wylio'r cythreuliaid corniog yn chwarae marblis â'i lygaid – y naill lygad yn chwyrlïo ar hyd y llawr i gyfeiriad y llall, nes bod y ddau yn rholio drwy ddwy wahanol olygfa ddisynnwyr sy'n chwrligwganeiddio'n galeidosgop yn ei ben, fel y mae'r ystafell hon yn driphlith draphlith, y tu chwith allan, ben ucha'i waered, y munud hwn.

'Gwnewch eich cyffes, f'arglwydd esgob.'

Y mae Walter yn gogwyddo'i glust at fy ngwefusau, ac yr wyf finnau'n cychwyn:

'*Confiteor Deo omnipotenti, beatae Mariae semper Virgini, et vobis fratres . . .*'

Ond y mae geiriau'r gyffes yn swnio mor anghyfarwydd, fel pe bai rhywun wedi tynnu'r llythrennau oddi wrth ei gilydd a'u cymysgu, a'u gludio'n ôl drachefn yn faldordd ynfytyn.

'. . . quia peccavi nimis cogitatione, verbo et opere: mea culpa, mea culpa, mea maxima culpa . . .'

Am na fu gen i mo'r asgwrn cefn i frwydro dros fy argyhoeddiadau, nac i sefyll dros hawliau fy ngwlad, na hyd yn oed i arddel fy mab fy hun, am imi orwedd ymhlith buchod Basan, a chael fy hudo gan y Fabilon fawr, mam puteiniaid a ffiaidd bethau'r ddaear, a oedd yn feddw ar waed y saint, fel fy mod yn awr yn cael fy llusgo gerfydd fy ngarddyrnau ganddi ar gefn ei bwystfil ysgarlad, ac enwau cableddus drosto i gyd, a chanddo saith ben a deg corn, tua chastell du uffern ar y bryn, lle gwneir Duw'n unig a ŵyr beth i'm henaid, cyn ei hongian i bydru ar waliau'r tŵr yn rhybudd i eraill.

'*. . . et vos, fratres, orare pro me ad Dominum Deum nostrum.*'

Y mae'r Deon Walter yn gwneud arwydd y groes drosof, ac yn cyhoeddi'r gollyngdod:

'*Miseratur tui omnipotens Deus, et, dismissis peccatis tuis, preducat te ad vitam aeternam.*'

Y mae'n gosod yr afrlladen ar fy nhafod yn fy ngenau agored.

'*Corpus Domini nostri Iesu Christi custodiat animam tuam in vitam aeternam, Amen.*'

Ac y mae deg corn llysnafeddog y bwystfil yn troi'n ddeg brenin nerthol, sy'n llosgi'r butain ac yn bwyta'i chnawd hi, ac yn golchi'i mantell ysgarlad yn wyn yng ngwaed yr Oen, ac fe welaf hwnnw'n llifo'n ysbeidiol yn nant fechan, drochionog, drwy geg ogof, ac yn cael ei gasglu i'r Greal Sanctaidd, sy'n treiglo i lawr o blith y cyrff dynol yn fflamau'r tân ar y bryn nid nepell, ac uwchben yr eira ar gopaon y mynydd mi welaf yn disgleirio y Groes Naid.

'Siôn.'

'Mae o'n galw amdanat ti,' medd y deon wrth fy mab, ac y mae yntau'n symud yn anesmwyth at y gwely.

'Siôn. Fi ydi dy dad di, wyddost.'

Y mae golwg gythryblus ar wyneb Siôn. Nid rhyfedd hynny. Y mae'r newydd yn syndod iddo. Mae'n troi at y deon.

'Dydw i ddim yn deall beth y mae o'n ei ddweud, Walter.'

'Mae o'n dweud mai fo ydi dy dad di,' ebe Walter.

Daw gwên o ddealltwriaeth i wefusau Siôn, ac y mae'n edrych arnaf yn llawn cydymdeimlad.

'Wrth gwrs, f'ewyrth. Fy nhad yn Nuw.'

Nage, nage, nage, Siôn. Nid dy dad yn Nuw. Nid yn unig dy dad yn Nuw. Dy dad yn y cnawd, Siôn. Dydi'r cnawd ddim yn beth drwg. Dydi o ddim bob amser yn beth drwg. Mwy nag y mae'r byd bob amser yn beth drwg. Fedran nhw ddim bod yn ddrwg i gyd, Siôn, oherwydd rhoddion Duw ydyn nhw. Mi fedran ddod â bendithion mawr. Fe ddaethant â bendithion mawr i mi.

'Walter.'

Unwaith eto, y mae'r Deon Walter yn gogwyddo'i glust at fy ngwefusau.

'Ie, f'arglwydd esgob?'

'Boniffas.'

'Mae'r Pab Boniffas yn dal yn wael iawn, f'arglwydd esgob.'

'Ie . . . Dywed wrth Boniffas na wna i ddim cefnu arno.'

'Rydw i'n siŵr nad ydi'r Pab yn meddwl y fath beth, f'arglwydd esgob. Peidiwch â chynhyrfu'ch hun.'

Na, dydi o ddim yn meddwl. Dydi o ddim yn meddwl am nad ydi o ddim yn gwybod. Dydi o ddim yn gwybod fy mod i'n gwybod fod yna rai yn cynllwynio y tu ôl i'w gefn o yng Nghymru. Dydi o ddim yn gwybod pa mor oddefgar y bûm i o weithgaredd William Swinderby a Gwallter Brut yn yr esgobaeth yma. Dydi o ddim yn gwybod fod gen i gydymdeimlad â rhai o'u daliadau nhw. Does dim modd iddo fo wybod. Tybed a ydi Wycliffe yn gwybod? Tybed a ydi Wycliffe, ym mha le bynnag y mae yn awr yn nhrigfan y meirw, yn gwybod sut y bu imi werthu fy argyhoeddiadau am swyddi bras yn y Curia ac yn Henffordd? Mi ga i wybod yr ateb yn fuan. Ac mi geith Boniffas hefyd wybod popeth pan ymunith o efo ni. A fydd hynny, yn ôl pob tebyg, ddim yn hir. Ddim yn hir? Oes unrhyw ddisgwyl yn hir yn nhragwyddoldeb? Ac wedyn, pa gyfaill fydd gen i: pan fydd Boniffas a Wycliffe, fel ei gilydd, yn sylweddoli na fu Siôn Trefnant ond llugoer ei gefnogaeth i'r naill fel y llall? A beth fydd gan y brenin Rhisiart i'w ddweud? Mae o'n gwybod imi droi fy nghefn arno yn awr ei angen, dim ond am mai dyna a wnâi pawb arall. A Harri Bolingbroke? Dydi hwnnw ddim yn gwybod, ar hyn o bryd, fod gen i syniadau bradwrus am orseddu mab Rhosier Mortimer yn frenin Lloegr a sefydlu Owain Glyndŵr yn dywysog Cymru. Ond dydi Glyndŵr ddim yn gwybod chwaith. Nac Edmwnd Mortimer. Does yna neb yn gwybod. A does yna neb yn gwybod am mai un felly wyt ti, Siôn Trefnant. Fyddai neb byth yn dy roi di y tu cefn iddo mewn brwydr. Iacha'i groen . . . Does yna ddim byd yn iawn sy'n mynd i arwain dyn i'r stanc.

'Ieuan.'

Daw Ieuan Offeiriad at erchwyn y gwely, a gallaf weld y dagrau yn berlau gloywon yn ei lygaid.

'Ieuan. Mae gen i ateb i Siôn Trefor.'

'Rhaid ichi siarad yn uwch, f'arglwydd esgob. Dydw i ddim yn eich clywed chi.'

'Dos â neges i Siôn Trefor, Ieuan. Dywed wrtho y caiff o ddweud wrth y Senedd ym Machynlleth . . .'

'Dweud beth, f'arglwydd esgob?'

'Dweud fod Esgob Henffordd yn ymuno â'r gwrthryfel.'

'Dweud fod Esgob Henffordd yn beth, f'arglwydd?'

'Yn ymuno, Ieuan. Yn ymuno efo Owain Glyndŵr.'

'Beth mae o'n ei ddweud, Ieuan?' mi glywaf Siôn yn holi.

'Rhywbeth am Owain Glyndŵr, Siôn. Ond dydw i ddim yn ei ddeall o'n iawn.'

Daw Siôn yntau at erchwyn y gwely, a syllu arnaf yn bryderus.

'Beth ydych chi'n ei ddweud am Lyndŵr, f'ewyrth?'

'Rydw i'n ymuno, Siôn. Yn ymuno efo Glyndŵr.'

'Ydych, siŵr, fy nhad,' medd Siôn, dan wenu. 'Ydych, siŵr.'

Ac yr wyf finnau'n gwenu'n ôl arno. Neu'n hytrach yr wyf yn gwenu ar ei fam, oherwydd hi sydd yno rŵan, yn sefyll mewn cylch o olau llachar yn y môr glas rhwng y traeth a'r gorwel, ac yn amneidio'n gellweirus arnaf. Rydw i'n camu i mewn i'r dŵr bywiol, ac yn gadael i li'r trai fy nghario tua'i breichiau agored.